Aimer

Promenades en Normandie

Texte **René Gaudez**   Photographies **Hervé Hughes**

Editions OUEST-FRANCE

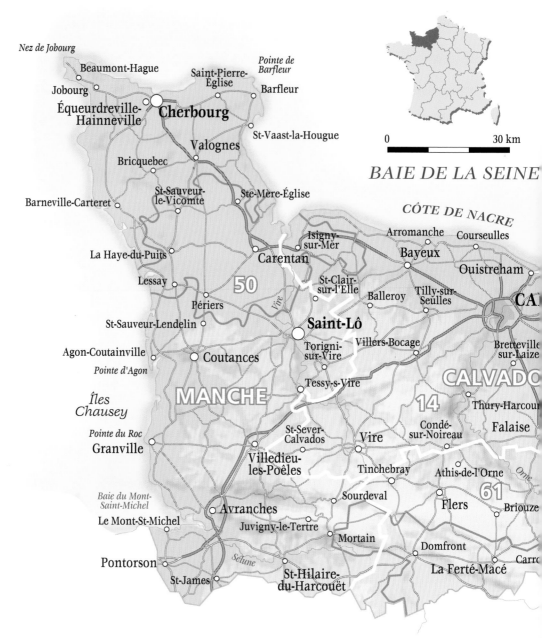

Nez de Jobourg

Pointe de
Barfleur

Beaumont-Hague

Saint-Pierre-
Église

Barfleur

Jobourg

Cherbourg

Équeurdreville-
Hainneville

St-Vaast-la-Hougue

Valognes

BAIE DE LA SEINE

Bricquebec

Ste-Mère-Église

St-Sauveur-
le-Vicomte

CÔTE DE NACRE

Barneville-Carteret

Isigny-
sur-Mer

Arromanche

Courseulles

La Haye-du-Puits

Carentan

St-Clair-
sur-l'Elle

Bayeux

Ouistreham

Lessay

50

Balleroy

Tilly-sur-
Seulles

CA

Périers

Saint-Lô

St-Sauveur-Lendelin

Villers-Bocage

Bretteville
sur-Laize

Agon-Coutainville

Coutances

Torigni-
sur-Vire

CALVADO

Pointe d'Agon

MANCHE

Tessy-s-Vire

14

Thury-Harcour

*Îles
Chausey*

Condé-
sur-Noireau

Falaise

Pointe du Roc

St-Sever-
Calvados

Vire

Granville

Villedieu-
les-Poêles

Tinchebray

Athis-de-l'Orne

61

Baie du Mont-
Saint-Michel

Sourdeval

Flers

Briouze

Le Mont-St-Michel

Avranches

Juvigny-le-Tertre

Mortain

Domfront

Carr

Pontorson

Sélune

La Ferté-Macé

St-James

St-Hilaire-
du-Harcouët

0   30 km

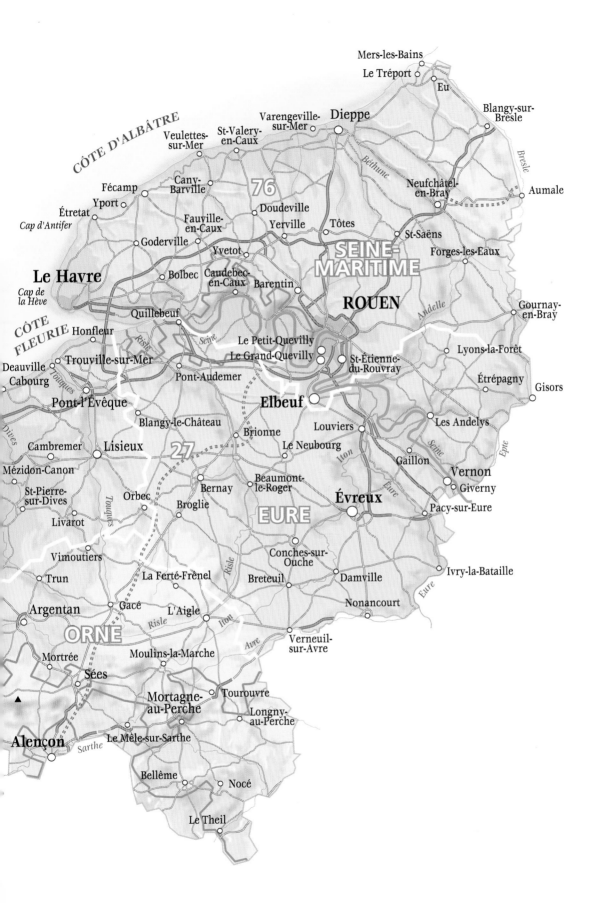

La Normandie, un duché, un terroir

Le traité de Saint-Clair-sur-Epte créait, en 911, la Normandie. Charles le Simple, roi de France, cédait à Rollon, un Viking d'origine norvégienne, les territoires de la basse vallée de la Seine. Guillaume Longue Epée et Guillaume le Conquérant, ses descendants, élargiraient à ses limites actuelles les frontières d'un duché à l'existence brillante mais brève, décisive dans la formation de son riche patrimoine. En 1204, Philippe Auguste, roi de France, s'en emparait en effet et, après la guerre de Cent Ans où il avait été occupé par les Anglais, Louis XI, en 1469, mettait fin à son existence.

Territoire de 30 000 kilomètres carrés, la Normandie se partage en cinq départements : la Seine-Maritime et l'Eure qui forment la Haute-Normandie ; le Calvados, l'Orne et la Manche qui constituent la Basse-Normandie. Géographes, historiens, sinon comités de tourisme y ont créé une infinité de pays aux origines, aux limites parfois incertaines : Caux, Bray, Roumois, Ouche, Auge, Hiè-mois, Perche, Bessin, Cotentin, etc.

Ci-contre
Après s'être emparé de Château-Gaillard, aux Andelys, Philippe Auguste rattache le duché au royaume de France.

La Normandie n'a de frontières naturelles que celles que la mer lui trace ou à l'est et au sud, sur quelques kilomètres des rivières telles la Bresle, l'Epte, l'Avre, l'Eure ou la Sarthe… Plaine, bocage, forêt, grève ou falaise, ses paysages se révèlent très divers. L'habitat de même : pans de bois, calcaire, granit, schiste, meulière ou brique, ardoise ou tuile. A la Normandie industrielle de la vallée de Seine répond, plus à l'ouest, une Normandie agricole. Lait, pomme, sont ses produits phares. Elle cultive aussi céréales, lin, betterave, primeurs. La vache est reine ; mais souvent, en Basse-Normandie, le cheval est roi. Touchant cette province, toute affirmation mérite nuance. L'unanimité se fera peut-être autour de son climat : que la pluie y manque, elle est défigurée.

La nature y a créé ses hauts lieux : Etretat, le val de Seine, le marais Vernier, la presqu'île de la Hague, la baie du Mont-Saint-Michel, la Suisse normande. L'histoire en a créé davantage. Saint-Vaast-la-Hougue, Cocherel, Ivry, Granville ont été le théâtre de ces batailles qui font l'histoire et les images d'Epinal. La bataille de Normandie a ouvert de grandes nécropoles sur son sol ; sa population a payé à la libération de l'Europe un lourd tribut. A la Renaissance, Honfleur, Dieppe, ports et marins normands ont pris une grande part à la découverte du monde.

La Normandie est aussi terre de foi. Dédiés à Notre-Dame ou à saint Michel, sanctuaires et abbayes s'y élèvent nombreux. Edifiés dès les ducs, confiés aux Bénédictins, d'aucuns sont encore lieux de prières, beau-coup des chefs-d'œuvre d'architecture. Thérèse Martin, sœur Thérèse de l'Enfant-Jésus, a fait de Lisieux le lieu d'un pèlerinage mondial.

On compte en Normandie plus de châteaux sans doute que de monastères. Moins célèbres que ceux de la Loire, ils n'en sont pas moins beaux et ils sont plus divers.

Peu de contrées ont engendré ou retenu, de Corneille à Salacrou, de Fontenelle, Alexis de Tocqueville à Alain, de Bernadin de Saint-Pierre, Barbey d'Aurevilly, Flaubert, Maupassant à Proust, Maurois et Gide ou, contemporains, à Patrick Grainville, Annie Ernaux ou Philippe Delerm autant de dramaturges, de penseurs, de poètes, de romanciers. La veine d'ailleurs n'est pas tarie. Qu'ils y soient nés comme Géricault, Boudin, Millet, Dufy, qu'ils soient venus y planter leur chevalet, combien de peintres également en ont fait leur terre de prédilection.

Mais à chacun ses préférences. Vieil-Evreux dans l'Eure, Lillebonne en Seine-Maritime, Vieux-la-Romaine dans le Calvados seront celles des fervents de l'époque gallo-romaine ; Rouen, Bayeux, Alençon, Argentan, Dieppe de ceux pour qui une dentelle, une ferronnerie, une céramique, un ivoire est une œuvre d'art. Le Havre, Tancarville, Cherbourg enthousiasmeront ceux que passionnent les prouesses techniques, les grands ouvrages. A Varangeville, Harcourt, Saint-Christophe-le-Jajolet, Vauville, la Normandie devient un lieu de prédilection des amateurs de parcs et jardins. Ceux pour qui le cheval est « la plus belle conquête de l'homme » se rendront au Pin ou à Saint-Lô. Deauville, Cabourg, Cou-tances, Dieppe seront, le temps venu, le rendez-vous des amateurs de cinéma, de jazz ou de l'art des cerfs-volants. Ce ne sont que quelques exemples. A l'heure de passer à table, les tripes à la mode de Caen, la sole à la dieppoise, le caneton à la rouennaise, l'andouille de Vire ou le boudin de Mortagne ne seront que quelques-unes des spécialités, qui avec la crème, les fromages, le cidre et le calvados font aussi de la Normandie la région de la gastronomie, autant d'ingrédients aussi qui assurent l'opulence de ses marchés et de ses foires, toujours animés, pittoresques, fréquentés, qui leur donnent toute leur couleur.

La statue de Gustave Flaubert, par Bernstam, place des Carmes à Barentin.

La Manche

La mer qui le limite sur trois de ses frontières a donné son nom au département de la Manche. Trois cent cinquante kilomètres de côtes, baignées à l'ouest par les plus fortes marées d'Europe, consacrent sa forte vocation maritime.

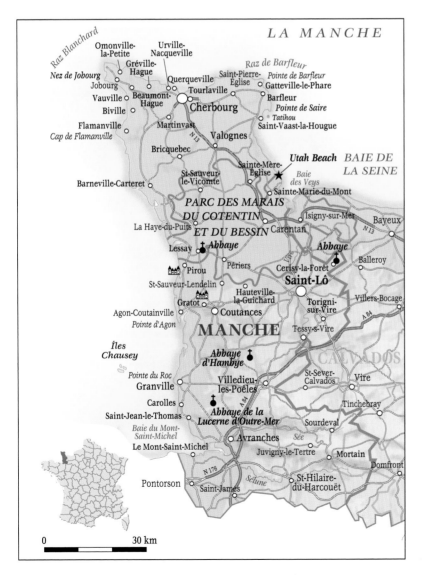

L'agriculture n'en fait pas moins vivre une part importante de ses 482 000 habitants. La Manche, département « vert », est peu industrialisée ; mais la presqu'île de la Hague est un centre important de l'industrie nucléaire, fournissant au pays 4 % de son énergie. Le plus à l'ouest des départements normands, étiré du sud au nord sur plus de 150 kilomètres, cultive les contrastes. Collines boisées, marais, landes, bocages se partagent les 6 412 kilomètres carrés de son territoire quand même serait-il le département le moins forestier de France.

Un rôle de forteresse lui a été dévolu face à la mer et à l'Angleterre. Nombreuses sont ses villes juchées, pour se protéger, sur une hauteur. Lors de la guerre des Gaules déjà, un lieutenant de César y mit en déroute les Gaulois. Deux mille ans plus tard, la Manche a été le théâtre de quelques-uns des plus sanglants épisodes de la bataille de Normandie.

Ci-contre
Le Mont-Saint-Michel, « [...] ce gigantesque bijou de granit, aussi léger qu'une dentelle, couvert de tours, de sveltes clochetons [...] », tel le décrit Maupassant dans *Le Horla*.

Les abbayes y sont plus nombreuses qu'ailleurs, bâties parfois au creux de paisibles vallons mais aussi, pour la plus fameuse, « au péril de la mer ».

AVRANCHES

Venant de Bretagne ou du Maine, découvrez la Manche depuis Mortain sur les bords de la Cance. Vous visiterez l'abbaye Blanche, ainsi nommée pour la couleur de l'habit de ses premières moniales, et, en l'église Saint-Evroult, vous découvrirez le Chrismale, un mystérieux reliquaire. Des sentiers vous conduiront vers la Grande ou la Petite Cascade, la Fosse-Arthour, un site du mythe arthurien, l'aiguille de Mortain ou au sommet d'une colline d'où la vue s'étend du Passais à la pointe du Grouin. Un monument y commémore les combats qui, en juillet 1944, opposèrent les Américains à la VIIe armée allemande. A Ducey, un château s'élève au bord de la Sélune, celui de la famille Montgommery.

A Avranches, sous-préfecture de la Manche, juchée au-dessus de la Sée, de vieilles rues conduisent vers le château, son donjon, le palais épiscopal devenu musée municipal et les bâtiments de l'abbaye Sainte-Anne-de-Moutons.

La ville a destin lié avec le Mont tout proche. Maupassant a décrit la vue qu'offre le jardin public sur la baie et l'abbaye. Le trésor de l'église Saint-Gervais-Saint-Protais conserve le crâne de saint Aubert percé du doigt de l'archange. Nouvellement créé, le Scriptorial permet quant à lui de découvrir nombre des quatre cents manuscrits du Mont-Saint-Michel, certains merveilleusement enluminés provenant de la bibliothèque de l'abbaye dont Avranches sauva en son temps les 14 000 ouvrages. Un fonds et un musée uniques au monde !

En haut de page
A Mortain, un superbe exemple d'architecture romane.

Ci-contre
L'abbaye Blanche à Mortain et le cloître.

Page de droite
Le donjon construit au Xe siècle sur les vestiges de l'enceinte romaine de la citadelle d'Avranches. Les drapeaux à son sommet résument bien l'histoire de la cité avranchine.

LE MONT-SAINT-MICHEL

Des sites remarquables de Normandie, c'est le plus célèbre, inscrit à l'inventaire mondial de l'Unesco, nommé « Merveille de l'Occident ». Pyramide étirée vers son sommet, légèrement incurvée sur ses flancs, la silhouette du Mont-Saint-Michel est connue du monde entier.

L'histoire de ce site s'encombre de bien des légendes battues en brèche par les travaux des historiens et des archéologues. Elles content que la mer aurait fait un îlot du mont Tombe après avoir englouti la mystérieuse forêt de Scissy qui l'entourait. L'histoire même du monastère est aujourd'hui controversée.

Ci-dessous
Fortifiée au XIIIe siècle, l'abbaye du Mont-Saint-Michel a repoussé tous les assauts.

C'est Aubert, évêque d'Avranches, qui, selon la tradition, aurait en 709 consacré un oratoire à saint Michel sur cette hauteur où déjà les Celtes honoraient leurs divinités.

Trois siècles plus tard, les ducs de Normandie en chassaient les chanoines, mis en place par Aubert, et installaient les Bénédictins. Ceux-ci bâtissaient une première église, à deux nefs, Notre-Dame-sous-Terre, bientôt remplacée par une seconde au sommet du Mont qui devenait pour des siècles un chantier, alimenté de granit depuis les îles Chausey et où s'affairaient tous les corps de métiers. Aux XIe et XIIe siècles, s'élevait l'église abbatiale ; au début du XIIIe siècle, les bâtiments de la Merveille destinés au logement des moines et à l'accueil des pèlerins ; plus tardivement le logis abbatial, les

bâtiments de l'administration et ceux abritant sa garnison. L'abbaye était en effet devenue une forteresse protégée, à son pied, par la ligne de remparts qui court de la tour Gabriel à la tour Boucle et, à sa porte, par le puissant châtelet. Ainsi fortifiée, elle repousserait, pendant la guerre de Cent Ans, tous les assauts des Anglais, installés sur Tombelaine, et pendant les guerres de Religion ceux des protestants. Du Guesclin mais surtout Louis d'Estouteville en furent les plus fameux capitaines.

A la fin du Moyen Age, son rayonnement déclinait. La Révolution n'en chassa qu'une dizaine de moines. Louis XI y avait mis en place ses trop fameuses « cages de fer » ; Napoléon en fit une prison où les régimes successifs internèrent et leurs opposants et les « droit-commun » jusqu'en

1863. L'abbaye allait à l'effondrement quand, en 1873, les Monuments historiques s'en virent confier la restauration. Le lancement de la flèche, que couronne, 157 mètres au-dessus du niveau de la mer, la statue de l'archange terrassant le démon, due à Frémiet, marquait, en 1897, la renaissance de l'abbaye et donnait au Mont une image qu'on pense définitive. Revenus en 1969, les Bénédictins, cédant à la Fraternité de Jérusalem la charge d'une présence spirituelle en ces lieux et de l'accueil des pèlerins, ont à nouveau quitté le monastère, faute d'y trouver le silence et le recueillement. Trois à quatre millions de personnes accourent en effet chaque année vers le Mont-Saint-Michel, attirées par la majesté ou l'originalité du site, l'histoire et la beauté du monastère plus que par des sentiments religieux.

Dès son origine, un village est né sous la protection de l'abbaye. C'est la commune du Mont-Saint-Michel qui groupe une centaine d'habitants, les Miquelots. La porte de l'Avancée, la seule ouverte dans les remparts, et la porte du Roi donnent accès à sa Grande Rue, pavée, pentue, étroite. Des boutiques de souvenirs, des restaurants la bordent en grand nombre. Elle conduit aux musées, à l'Archéoscope, au Logis Tifaine, la maison de Du Guesclin, à l'église paroissiale où l'on révère une grandiose statue de saint Michel pour aboutir au Grand Degré, premières marches de la montée vers l'abbatiale.

La plate-forme de l'ouest est la partie visible de la prouesse technique qui a permis sa construction. Trop étroit pour accueillir un tel édifice, le sommet du Mont a été en effet élargi d'une dalle jetée au-dessus du vide sur laquelle l'église s'élève, soutenue par trois cryptes dont celle des Gros Piliers. A l'intérieur, l'élégance et la luminosité du chœur s'opposent à la sobriété de la nef, plus sombre. L'un et l'autre ont été édifiés à la même période ; mais incendies et éboulements abondent dans l'histoire du Mont. Le chœur roman, qui s'était écroulé, a été reconstruit en style flamboyant. De même, les Mauristes, au XVIIe siècle, ont-ils abattu trois travées de la nef qu'ils ont fermée d'une façade classique, faute de moyens pour restaurer à l'identique.

Ci-dessus

Les « herbus » de la baie donneront à la chair de ces moutons une inégalable qualité, celle du « pré-salé », mais de vastes travaux sont entrepris pour rendre au Mont son insularité.

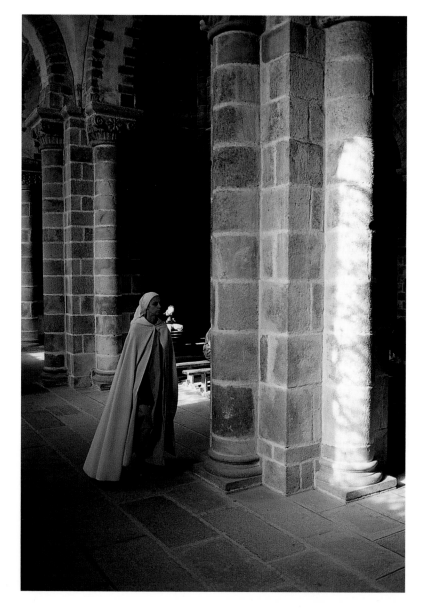

Chaque siècle ici a apposé sa marque, mais un même souci de perfection a animé architectes et sculpteurs du Moyen Age. C'est le sentiment qu'on éprouve en visitant l'abbatiale, les sanctuaires qui l'étayent, les bâtiments de la Mer-veille : salle des Chevaliers, salle des Hôtes, réfectoire – à l'éclairage aussi surprenant que l'acoustique –, ou le cloître dont l'arcade seule fait un chef-d'œuvre.

Des jardins, du chemin de ronde, des remparts la vue s'étend sans limites sur la baie. Sa renommée, les légendes qu'elle entretient sont à l'égale de celles du monastère. Le soleil rasant et la marée basse font de ses 40 000 hectares un miroir de sable, de tangue, bordé d'herbus, strié de rivières et chenaux, sur lequel se dessine l'ombre du Mont. Un nuage qui passe, un vol d'oiseaux nuance la palette des couleurs. Dans une des Maisons de la baie, tout vous sera dit tout à l'heure de sa vie quotidienne, de sa faune, de sa flore, de ses sables mouvants, des travaux de géant entrepris contre son ensablement notamment la suppression de la digue qui y conduit et des parkings défigurant les abords du Mont, digue qu'une passerelle et un transport collectif remplaceront. Attendez ! Bientôt la mer qui parfois s'est retirée à 12 kilomètres va de nouveau se saisir de son domaine, encercler peut-être le Mont. Lancée à la vitesse d'un cheval au galop ? Suffisamment vite pour que chaque année quelques touristes mal informés ou imprudents ne doivent leur salut qu'à la rapidité des secours.

GRANVILLE

Les kilomètres qui séparent Saint-Jean-le-Thomas de Carolles, sur la route de Genêts à Granville, passent pour « les plus beaux de France ». Quittant cependant cet itinéraire, enfoncez-vous dans le vallon du Thar. Dans son parc majestueux, l'abbaye de la Lucerne-d'Outre-Mer, ses bâtiments conventuels ont été parfaitement restaurés grâce au patient travail de l'abbé Lelégard.

Granville, la Monaco du Nord par quelque ressemblance avec la Principauté, a fait sa fortune à la mer, ses marins armant à la course et pour Terre-Neuve, pêchant à quelques milles, l'huître sauvage ou pied-de-cheval, aujourd'hui la praire. Dès le XIXᵉ siècle, la plage du Plat Gousset accueillait ses baigneurs. Aujourd'hui pêche, plaisance et thalasso-thérapie – la « Thalasso » – assurent une grande part de ses revenus.

Se faufilant parmi les remparts, escaliers et chemins pavés conduisent à la vieille ville, la Haute Ville. A sa porte, une plaque rappelle qu'en 1793 les Granvillais subirent l'assaut des Vendéens et les mirent en déroute avant de combattre de longues heures l'incendie allumé pour leur barrer la route. Le musée du Vieux-Granville évoque ce passé. L'église du XVᵉ siècle, d'où, au pardon, sortira la statue miraculeuse de Notre-Dame-du-Cap-Lihou, d'anciennes casernes construites aux XVIIIᵉ et XIXᵉ siècles, la maison du guet, de beaux hôtels bâtis jadis par les corsaires et armateurs constituent son patrimoine. D'étroites venelles s'en échappent, conduisant à l'aplomb du Roc, au phare, au sémaphore. La Haute Ville abrite également le musée Richard-Anacréon, un Granvillais dont les legs ont permis sa création. Parmi ses citoyens illustres, Granville compte Christian Dior, créateur de mode, qui y naquit en 1905 et dont on visite la villa les Rhumb's, aujourd'hui musée, le seul en France consacré à un grand couturier.

La cité doit aux Anglais son origine. Lors de la guerre de Cent Ans, ils achetèrent sur le Roc quelques arpents de terre où ils bâtirent une forteresse dont Louis d'Estouteville, capitaine du Mont-Saint-Michel, ne tarda pas à les chasser. Non sans qu'ils aient eu le temps de creuser la « Tranchée aux Anglais » par où l'on accède à la plage depuis les quartiers du port.

Page de droite

Du port de Granville, rampes piétonnes et escaliers mènent à « la haute ville » où se situe la majeure partie du patrimoine architectural d'une ville où Michelet écrivit *La Mer*.

Ci-dessus

La marée a vidé le bassin de la flotte de pêche. A l'aplomb des quais, les remparts, des casernes désaffectées et l'église Notre-Dame-du-Cap-Lihou à la silhouette si caractéristique.

LES ÎLES CHAUSEY

De Granville, on s'embarque pour Chausey qui en est un quartier. A neuf milles au large, ces cinquante-deux îlots jamais immergés forment le seul archipel normand. « Oublié » au traité de Brétigny, il est demeuré français et n'appartient donc pas aux Anglo-Normandes.

C'est un lieu unique, fréquenté dès la préhistoire. A chaque instant la marée, qui peut atteindre 14 mètres de marnage, en modifie formes, couleurs, surfaces. Seule la Maîtresse Ile, longue de 1,8 kilomètre, large au plus de 800 mètres, est habitée ; de quelques personnes l'hiver, de plusieurs centaines l'été. Ni voitures ni même cycles en ce paradis ! Le phare, un fort de 1866, les hôtels, quelques villas, une pyramide qui n'est qu'un amer, l'ancien presbytère et son école sont, sur la partie publique, les principales constructions. Sur la partie

privée mais accessible, le chemin passe devant la villa du peintre et navigateur Marin Marie, la chapelle, l'ancienne ferme, quelques groupes de maisons – la « Ville », les « Blain-villais », « le Pont » – puis le château reconstruit par Louis Renault. Il conduit aussi à deux belles plages ou au sémaphore, depuis longtemps désaffecté mais qui, depuis peu restauré, a retrouvé jusqu'au mât des signaux dont les vieilles cartes postales attestaient l'existence. La forme particulière d'une roche, un souvenir a donné leur nom aux sites : l'Epée, les Moines, l'Eléphant.

Autour de la Grande Ile, la marée basse découvrira 5 000 hectares de bancs de sable et 365 îlots noircis de goémon entre lesquels courent de multiples chenaux.

L'extraction du granit, la fabrication de la soude à partir du varech

ont été pendant des siècles les grandes activités de Chausey, puis la pêche aux crustacés, qui le demeure, et le tourisme. Sa faune, celle des oiseaux marins en particulier, mais aussi sa flore favorisée par un microclimat sont quelques-uns de ses grands attraits.

Déjà site classé, interdit à la construction, à la chasse, Chausey dont le Conservatoire du Littoral, la commune de Granville et la Société Civile Immobilière des Iles Chausey se partagent la propriété et la charge de sa préservation, a été inclus au territoire de Natura 2000.

Ci-dessous
Le Sound, un bras de mer, sépare la Grande Ile, à droite sur la photo, des îlots situés à l'est de l'archipel.

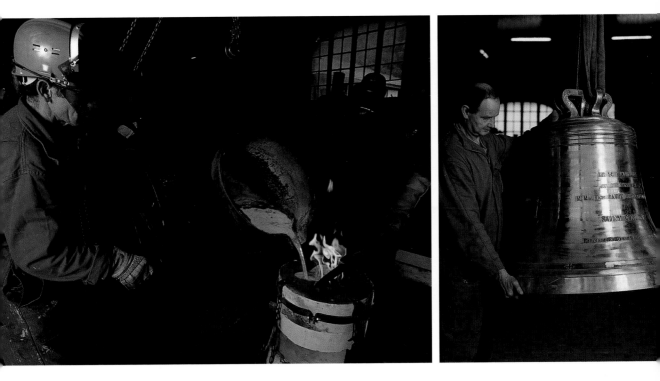

VILLEDIEU-LES-POÊLES

Au retour de Chausey, gagnez Villedieu-les-Poêles. Cette typique commune normande, fière de son classement Ville et métiers d'art, fut, dès le XIIᵉ siècle, le siège d'une importante industrie du cuivre, la dinanderie. Elle y fut implantée par les chevaliers de Malte qui, tous les quatre ans, participent encore, en tenue d'apparat, à la procession du Grand Sacre. L'Atelier du cuivre perpétue les techniques et fabrications de cette industrie dont, à quelques pas, le musée de la Poêlerie et de la Dentellière conte l'histoire et présente les produits. L'étain, autre métal, possède aussi sa maison à Villedieu. Mais la ville est surtout connue aujourd'hui comme le siège d'une des dernières fonderies de cloches en France, les Etablissements Cornillé-Havard. Réalisée en présence du public selon des procédés à la fois séculaires et fort modernes, la fonte d'une cloche est toujours un événement.

Sur la route menant à Coutances, à Gavray, les ducs de Normandie avaient érigé au sommet de la colline dominant la Sienne une puissante forteresse dont les vestiges ont été patiemment remis au jour et en valeur.

Dans le vallon de la Sienne, l'abbaye de Hambye dresse vers le ciel les ruines très romantiques de son clocher et de sa nef; mais, mieux préservés, la salle capitulaire, la sacristie, la salle des Morts, le chauffoir et les locaux affectés aux activités agricoles du monastère forment l'un des beaux ensembles de bâtiments monastiques de Normandie. Le bâtiment des convers accueille le Conservatoire des vêtements et objets liturgiques de la Manche. A Savigny, commune proche, l'église Notre-Dame, bel édifice roman, s'orne de nombreux modillons originaux et de belles fresques murales.

Ci-dessus à droite
La cloche a revêtu sa robe de baptême…
Elle conservera, gravé sur le métal, le souvenir de cet événement.

Ci-dessus à gauche
L'instant de la coulée à la fonderie de cloches de Villedieu-les-Poêles. Le métal en fusion a été porté à 1 200 degrés.

COUTANCES

Coutances, sous-préfecture de la Manche, siège de l'évêché et d'un festival Jazz sous les pommiers très fréquenté, revendique de lointaines origines. Un aqueduc, dont il subsiste quelques vestiges, alimentait la ville de Cosedia, devenue Constantia. C'est de sa cathédrale, dont les flèches jumelles culminent à 77 mètres mais dont la tour-lanterne, le Plomb, est la plus remarquable construction, que la ville tire son orgueil. Par l'élan qui s'en dégage, par la finesse, la grâce, la pureté de ses colonnes et de ses voûtes, la cathédrale de Coutances, aux beaux vitraux médiévaux, est considérée comme le plus bel exemple d'art gothique normand. Construite au XIIIe siècle, elle se fonde sur un sanctuaire roman édifié grâce aux dons des fils de Tancrède de Hauteville, seigneur de Hauteville-la-Guichard, qui créè-

rent au XIIe siècle le royaume des Pouilles et de Sicile, comme le rappellent dans leur village d'origine proche de Coutances une plaque dans l'église et un petit musée.

Les églises Saint-Pierre et Saint-Nicolas représentent quant à elles de beaux exemples d'architecture Renaissance ou gothique finissant. Si la tour-lanterne coiffant Saint-Pierre évoque une tiare, c'est que le pape Alexandre VI contribua à sa construction !

Le jardin des plantes de Coutances est l'un des premiers en France à avoir été classé.

Si vous visitez aux environs le château de Gratot, vous y entendrez conter la légende de la tour de la Fée ; au château de Pirou, celle des « oies de Pirou ». A l'intérieur de ce dernier, une tapisserie évoque également la conquête de l'Italie par les Guiscard de Hauteville. A Canville-

la-Roque, c'est une fresque de l'église qui narre le miracle du Pendu-Dépendu.

En haut, à gauche
Transformés en oies pour échapper à leurs assaillants, les défenseurs du château de Pirou n'ont jamais retrouvé forme humaine faute de posséder la formule magique nécessaire.

En haut, à droite
Se découpant sur l'horizon, les flèches jumelles de la cathédrale de Coutances. Au second plan, la tour-lanterne de Saint-Pierre, belle construction de la Renaissance.

Ci-contre
Le chevet de la tour-lanterne de la cathédrale de Coutances dont on admirera, à l'extérieur comme à l'intérieur, tout l'élan spirituel qui s'en dégage.

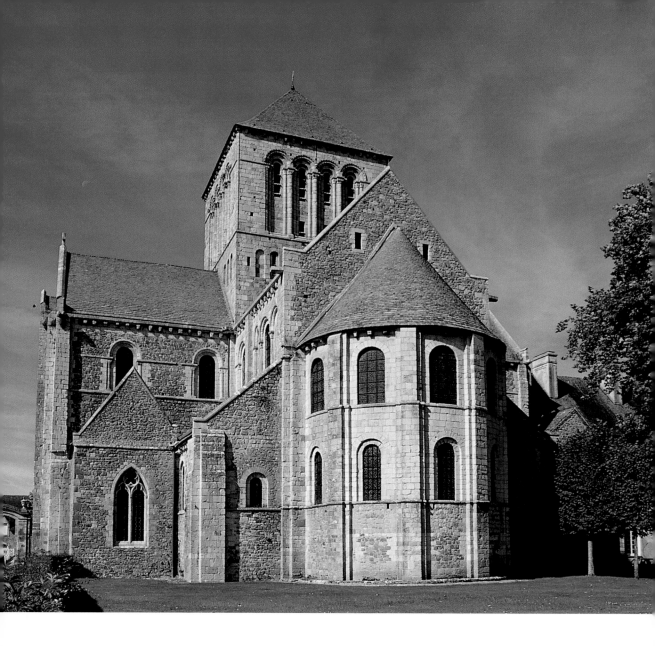

LESSAY

Entre le havre de Saint-Germain et une lande que Barbey d'Aurevilly a rendue célèbre en y situant l'action de *L'Ensorcelée*, le village de Lessay s'est construit autour d'une abbaye fondée au XIᵉ siècle par Eudes au Capel. Dynamitée pendant la guerre, reconstruite pierre à pierre, l'église abbatiale est un chef-d'œuvre de l'art roman qui frappe par le bel équilibre entre sa tour centrale carrée, son abside et sa nef.

A l'intérieur, éclairé de vitraux d'inspiration irlandaise, la sobriété du décor – maître-autel, baptistère, mobilier liturgique – impose un fort sentiment de paix. Lessay est à l'automne le grand rendez-vous du monde rural : la foire de la Sainte-Croix y attire plus de 100 000 visiteurs.

Le mont Castre voisin est-il celui où Sabrinus battit les Unelles de Viridovix, comme le raconte César dans la *Guerre des Gaules* ? Des historiens le contestent. Le lieu n'en offre pas moins une vue superbe, jusqu'aux deux rives de la Manche parfois.

Ci-dessus
Détruite pendant la guerre, l'église de l'abbaye de Lessay, dédiée à la Sainte-Trinité, fondée en 1056, a été reconstruite pierre à pierre. C'est une merveille de l'art roman.

VALOGNES

Le fantôme de Barbey d'Aurevilly, Connétable des lettres, hante les cités de Saint-Sauveur-le-Vicomte et Valognes. La haute forteresse de Saint-Sauveur jette son ombre sur le cimetière où repose le grand écrivain. Ses manuscrits, cahiers de notes, vêtements ont été réunis dans une maison, au bout de la Grande Rue, qui fut celle de son enfance.

Rendez-vous favori de la noblesse, Valognes, la commune voisine, s'est acquis ainsi le titre de « Versailles normande ». Malgré les destructions de la guerre, elle a conservé nombre de ses hôtels particuliers, dont les façades majestueuses bordent les rues ou s'enfouissent au fond des parcs. L'hôtel de Beaumont, l'hôtel de Thieuville, l'hôtel de Granval-Caligny, où vécut quelque temps Barbey d'Aurevilly, la Maison du Grand Quartier se classent parmi les plus beaux. Monuments historiques ou musées – du cidre, de l'eau-de-vie, des vieux métiers –, certains ouvrent leurs portes au public.

Ci-contre
L'hôtel de Beaumont, l'une des belles demeures seigneuriales de Valognes, « la Versailles normande ».

Ci-dessous
La forteresse des Neel et des d'Harcourt, illustres barons normands à Saint-Sauveur-le-Vicomte où naquit, le 2 novembre 1808, Barbey d'Aurevilly.

LA HAGUE

Barneville-Carteret et Bricquebec sont deux portes possibles vers la Hague. On jouit depuis le cap de Carteret d'une vue remarquable sur Jersey, Sercq, Guernesey et Aurigny, ces « morceaux du royaume de France » tombés au pouvoir non de l'Angleterre mais de la Couronne anglaise et qui préservent avec un soin jaloux et leurs statuts et leurs particularités. Le port de Carteret sur la Gerfeur et celui de sa ville sœur Portbail, où l'église Notre-Dame, au bord du Havre, possède le seul baptistère gallo-romain connu au nord de la Loire, constituent les principaux points de départ depuis le Cotentin vers ces îles.

Ci-dessous

Ces tamaris décharnés disent la violence des vents qui soufflent sur le raz Blanchard, ici à Goury, station de sauvetage fameuse et village entre terre et eau.

Découvrez la presqu'île de la Hague le jour où un grand coup de noroît la balaie, chassant les derniers nuages. Le paysage prend alors tout son relief et son caractère.

Landes et prairies, que des murets de pierre partagent en damiers pour les protéger du vent, font songer à la Bretagne, à l'Irlande. Comme ses hameaux, ses maisons basses, aux murs épais de granit ou de schiste. Comme sa côte, succession de promontoires et d'anses profondes : Flamanville, Jobourg, Voidries, la Hague, Sciotot, Vauville, Ecalgrain. A Goury, à quelques encablures d'une station de sauvetage fameuse, le phare du Gros du Raz oppose son étrave aux courants écumants du raz Blanchard, les plus redoutés et les plus violents d'Europe. Au-delà de la Hague, quelques barques s'abritent dans Port Racine, le plus petit port de France. Montez au Calvaire des Dunes à Biville, lieu de pèlerinage, apprécier le paysage dans toute son étendue…

Ci-contre
Le donjon du château de Bricquebec.

Ci-dessous
A Omonville-la-Petite, l'intérieur
de la demeure de Jacques Prévert.

Découvrez aussi sur la presqu'île l'allée couverte de la Hougue Bie qui témoigne d'une lointaine présence humaine en ces lieux ; le château de Flamanville et son parc ; le jardin botanique de Vauville où le microclimat permet aux plantes exotiques de croître. Visitez à Omonville-la-Petite la demeure du poète Jacques Prévert et dans la vallée des Moulins, à Saint-Germain-des-Vaux, le jardin que sa femme, d'autres artistes, ont créé à son hommage ; à Gréville-Hague la maison natale de Jean-François Millet, le peintre des travaux des champs ; à Omonville-la-Rogue, le manoir du Tourp, la « maison de la Hague » ; à Urville-Nacqueville, le manoir de l'Ecu et à Bricquebosq une maison forte du XVe siècle, la Grande maison.

Ne manquez pas à Querqueville la chapelle Saint-Germain, l'un des plus anciens sanctuaires de France. Allez ensuite jeter un premier regard sur la rade de Cherbourg. On ne se lasse pas de ce spectacle. A l'est de la ville cette fois, et avant de la quitter, le fort du Roule vous en proposera un autre panorama, remarquable lui aussi.

La centrale de Flamanville, bientôt l'EPR, l'ANDRA, centre de stockage des déchets radioactifs, font de la Hague un haut lieu de l'industrie nucléaire. A Beaumont-Hague, Areva NC, la Cogema mettent une large information sur ces installations à la disposition du public. Areva propose même un circuit gratuit à travers la Hague pour présenter les dispositions prises afin de préserver, en dépit de tout, l'environnement de la presqu'île.

Page de droite
La baie d'Ecalgrain dans la presqu'île de la Hague, l'un de ses plus beaux sites.

Ci-dessous
« Le Cotentin… cette terre grasse et remuée a pourtant comme la Bretagne, sa voisine… de ces parties stériles. » Barbey d'Aurevilly, *L'Ensorcelée*.
Ici, la dune de Biville.

CHERBOURG-OCTEVILLE

Cherbourg doit son existence à sa position géographique et… à l'Angleterre, « l'ennemie séculaire » contre laquelle la statue de Napoléon dresse le bras.

Si Vauban, le premier, imagina le rôle que pouvait jouer Cherbourg, au fond d'une baie profonde, à mi-chemin des redoutables caps de Barfleur et de la Hague et au débouché de la Manche sur l'Atlantique, les travaux d'aménagement de la rade ne débutèrent qu'en 1776. La Grande Digue, conçue par La Bretonnière, la plus audacieuse, surmontée de trois forts, barre la rade de Querqueville à l'île Pelée. Celles du Homet et des Hollandais la prolongent. Tous ces ouvrages, port militaire et port civil, ne furent inaugurés qu'en 1858, par Napoléon III.

L'histoire les avait rendus vains puis se fit ironique. En août 1944, ce sont des militaires anglais qui, après sa libération par les Américains, rendirent à nouveau accessible le port

Ci-dessus
Au fronton de la Cité de la Mer à Cherbourg, une fresque évoque le glorieux passé d'escale transatlantique de ce port, « l'auberge de la Manche », disait Vauban.

miné par les Allemands et permirent qu'il ravitaille les troupes alliées jusqu'à l'armistice. L'arsenal, dont les infrastructures s'étendent longuement à l'ouest de la ville, est aujourd'hui l'apport de Cherbourg à la défense nationale. Il conçoit et construit essentiellement des sous-marins.

Escale transatlantique, Cherbourg a souffert du transfert du transport passager de la mer vers l'air. Les ferries n'appareillent des bassins que pour l'Angleterre ou l'Irlande. Des installations de ce temps, Cherbourg a fait un vaste centre scientifique et culturel. La Grande Halle où les trains débarquaient de toute l'Europe les voyageurs en partance pour l'Amérique, la gare maritime proprement dite, bel exemple d'Art déco des années 30, rénovés, jouxtés de constructions nouvelles, sont devenus la Cité de la Mer. L'aquarium abyssal, le plus profond d'Europe, abrite dans ses 350 000 litres d'eau des milliers de poissons tropicaux ou des grandes profondeurs ; le bassin tactile permet de caresser certaines espèces. La Galerie des sous-marins évoque quant à elle l'époque du *Nautilus*, mais aussi, en en présentant les engins, toute l'histoire de la conquête des profondeurs dont

Henri Germain Delauze fut le pionnier. Dans le gigantesque hall d'accueil, on découvrira également le fameux bathyscaphe *Archimède*. Enfin, la visite, casque sur les oreilles, du sous-marin nucléaire *Le Redoutable*, aujourd'hui désarmé, constituera un temps fort du parcours de la Cité.

La cité même de Cherbourg s'est construite en retrait des quais et bassins. Loin de l'image qu'en ont donnée le cinéma, la littérature et les bulletins météo, c'est une ville agréable. Le cloître, l'église, les bâtiments conventuels de l'abbaye Notre-Dame-du-Vœu, l'église médiévale Saint-Martin et son cadran solaire, le muséum et le parc Emmanuel-Liais, le jardin de Montebello, le jardin public, le retable de l'église de la Trinité, le musée Thomas-Henry, riche d'œuvres de Fra Angelico, de Camille Claudel et surtout de Jean-François Millet, constituent son patrimoine artistique.

Le parc et le château de Martinvast, ceux de Tourlaville, magnifique demeure de granit bleu édifiée à la Renaissance, empreinte du souvenir tragique des Ravalet, sont le prolongement naturel d'une visite de Cherbourg.

BARFLEUR, SAINT-VAAST

De Cherbourg, un entrelacs de chemins conduit à la côte est du Cotentin à travers le val de Saire, petite région au visage aimable où l'on fait étape à Tocqueville dont Alexis de Tocqueville, historien et philosophe, fut au XVIIIe siècle le châtelain très attentif à ses gens.

Le phare de Gatteville propose un inégalable point de vue sur le raz de Barfleur... pourvu qu'on grimpe les 365 marches conduisant au sommet. Barfleur, où parfois les embruns fouettent le clocher, garde souvenance d'une lointaine tragédie. C'est de sa rive qu'en 1120 appareilla la *Blanche Nef*, emportant vers l'Angleterre la cour et les enfants d'Henri Ier. Seul un boulanger put raconter le naufrage. « Jamais plus, disent les chroniques, on ne vit sourire le roi. »

La baie que ferme la pointe de Saire fut, en 1692, le théâtre d'un des plus grands désastres de la marine française : après avoir en vain tenté de passer le raz Blanchard, treize des navires de la flotte que commandait l'amiral de Tourville vinrent s'y réfugier et s'y échouèrent. Les Anglais n'eurent plus qu'à les incendier. Dans cette même baie de Saint-Vaast-la-Hougue, la petite île de Tatihou, après avoir assumé bien des vocations, est devenue haut lieu touristique. On y visite sa forteresse et sa tour Vauban ainsi que son jardin maritime.

Reliée par un canal à la mer, Carentan est le point de départ de promenades et excursions dans le parc régional des Marais du Cotentin et du Bessin dont on visitera, à Marchésieux la « Maison ».

Depuis les ponts d'Ouve, à Saint-Côme-du-Mont, on peut aussi sillonner la Douve, l'Orne, la Vire et autres rivières qui irriguent le vaste espace de la Manche centrale, pays de nature, de traditions, de vieux métiers. La plage qui s'étend des dunes de Varéville à la baie des Veys dont on découvrira les richesses au

Ci-dessous

La flotte de pêche de Barfleur en attente de la marée. Au second plan, l'église – quasi fortifiée – date du XVIIe siècle.

manoir de Cantepie, fut, au matin du 6 juin 1944, celle d'Utah Beach, d'où les Américains s'élancèrent vers Sainte-Marie-du-Mont, opérant leur jonction à Sainte-Mère-Eglise avec les troupes parachutées dans la nuit. Pendu au clocher de Sainte-Mère, le mannequin d'un parachutiste rappelle un épisode de cet assaut, également évoqué par les vitraux de l'église.

Ci-dessus
La hauteur du phare de Gatteville – 71 mètres – en fait le deuxième de France.

Ci-contre
Les tours de Notre-Dame à Saint-Lô ont été laissées, lors de la reconstruction, en l'état où les bombardements les avaient réduites.

Ci-dessous
Sautant sur Sainte-Mère-Eglise, un parachutiste de la 82e Airborne Division atterrit sur le clocher et y demeura suspendu de longues heures. C'est l'épisode que rappelle ce mannequin.

SAINT-LÔ

Devenu la « capitale des ruines », en 1944, Saint-Lô, préfecture de la Manche – appelé Briovère jusqu'au XIe siècle –, ne fut reconstruit sur les lieux de son histoire que par la volonté de ses habitants.

Au sommet du promontoire schisteux sur lequel la ville est bâtie, dominant la vallée de la Vire, remparts et tours cernant l'Enclos l'indiquent : Saint-Lô fut longtemps une forteresse, assiégée souvent, envahie, pillée, saccagée parfois. Mais depuis le désastre de 1944, rien ne subsiste de la cité qui prospéra à l'abri de la place forte et dont tisserands, couteliers, tanneurs, orfèvres avaient fait la troisième ville normande avant que la révocation de l'édit de Nantes ne les éloigne. Notre-Dame, qu'illuminent vitraux médiévaux ou contemporains, n'a conservé de cette époque que les deux tours, très mutilées, d'une façade qui émerveillait Victor Hugo. Des bâtiments modernes, abritant

préfecture et administrations, ont pris la place de ceux plus pittoresques hérités de jadis. Située hors l'Enclos, l'église romane de Sainte-Croix a été le cadre d'un des plus fameux épisodes de la bataille de Saint-Lô, celui du major Howie.

Le musée du Bocage normand, à la ferme de Bois-Jugan, la statue de la *Laitière normande* consacrent Saint-Lô dans son rôle de capitale d'une zone de production laitière. Le haras y attire néanmoins nombre de visiteurs. Créé par Napoléon, situé dans des bâtiments de style Renaissance édifiés au XIXe siècle et restaurés à l'identique en 1945, il abrite une soixantaine d'étalons appartenant à des races diverses mais s'est spécialisé dans le cheval de selle français. C'est l'un des plus importants de France.

Elaboré après une reconstruction qui n'était pas sans défauts, le musée des Beaux-Arts – centre culturel Jean-Lurçat –, a permis la mise en valeur de deux trésors : une stèle, dite le marbre de Thorigny, découverte à Vieux-la-Romaine, dans le département voisin, en 1580, et les tapisseries de Flandres illustrant la vie de Gombault et Macé. La chapelle de la Madeleine, jadis léproserie, est devenue mémorial américain.

Aux environs, où les Rochers du Ham offrent sur la vallée de la Vire un beau panorama, s'élèvent de nombreux châteaux. Celui de Torigny-sur-Vire, ancienne demeure des Matignon, est le plus célèbre. De celui de Canisy, magnifique ensemble architectural dans un cadre de verdure superbe, les descendants de la famille qui en est propriétaire depuis de Moyen Age ont fait un centre culturel de réputation internationale.

CERISY-LA-FORÊT

Fondée en 1032, sur les vestiges d'un premier monastère, par Robert le Magnifique qui la dédia à saint Vigor, l'abbaye de Cerisy-la-Forêt s'affirme comme le centre de l'art roman en Normandie. Bien qu'amputée au XIXᵉ siècle de nombre des travées de sa nef, l'église demeure une magnifique œuvre d'art, en particulier par son abside à trois étages de fenêtres. D'importants travaux de restauration y ont été entrepris et un musée lapidaire installé dans les bâtiments conventuels : salle de justice, chapelle de l'abbé, salle des archives. Dans un cadre séduisant, l'abbaye de Cerisy est aujourd'hui lieu de colloques et de manifestations culturelles.

Quittez la Manche sur une note verte. Ou religieuse. Parcourez à Saint-Germain-d'Elle le parc aux huit étangs d'où sourd la rivière de ce nom. Ou rendez-vous à Troisgots : La Chapelle-sur-Vire y est lieu de pèlerinage depuis le XIIᵉ siècle.

Ci-dessous
Haut lieu de l'art roman, l'abbaye Saint-Vigor à Cerisy-la-Forêt s'élève dans un cadre superbe.

Ci-dessous
De longs remparts protégeaient la vieille ville de Saint-Lô, l'Enclos.

Le Calvados

Plutôt qu'Orne-Inférieure, la Constituante choisit d'appeler du nom d'un écueil proche
de sa côte – celui d'un bateau espagnol le *Salvador* qui y avait fait naufrage –
le département du Calvados. Il ne doit donc rien à celui, homonyme,
d'un breuvage renommé dont il est, cependant, un grand producteur.

Ci-contre
A Honfleur, les hautes façades, protégées
d'essentes, du quai Sainte-Catherine
confèrent beaucoup de pittoresque
au Vieux Bassin.

Sa surface, 5 548 kilomètres carrés, en fait le plus petit des départements bas-normands ; sa population – 650 000 habitants –, le plus important. Il est, lui aussi, très divers : vallonnements, haies du pays d'Auge ; gorges de l'Orne à travers la Suisse normande ; plages de la Côte Fleurie ; falaise des Vaches Noires. Frangé d'une bande littorale

– 116 kilomètres – de peu d'altitude, le Calvados culmine au mont Pinçon à 365 mètres.

Le renom de ses crème, beurre, fromage, cidre, calvados, assure quelques garanties à son agriculture. Après la fermeture de ses mines de fer et de sa sidérurgie, le département s'est tourné vers des activités tertiaires. Le tourisme y tient une part importante.

Le Calvados est riche d'une histoire dont Guillaume le Conquérant a écrit le premier chapitre et le matin du 6 juin 1944 ouvert le plus récent.

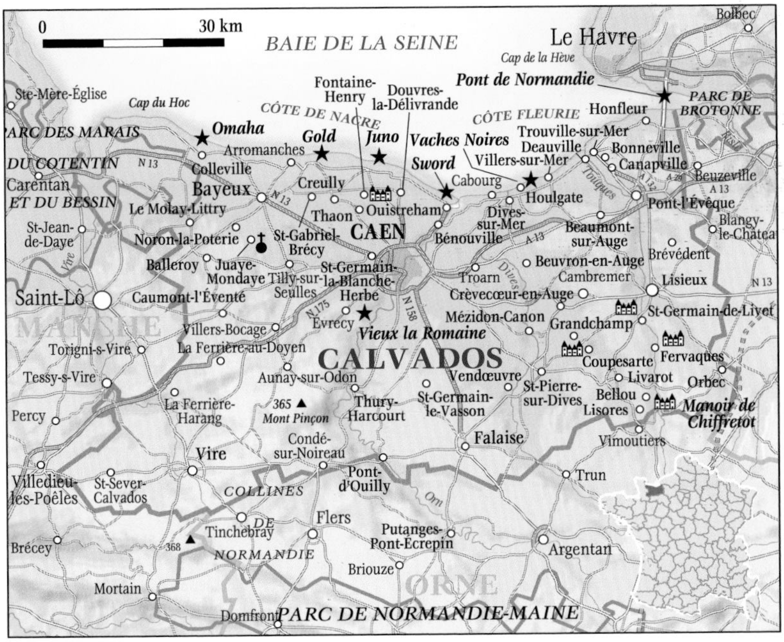

PAYS D'AUGE

Le pays d'Auge incarne pour beaucoup l'image de la Normandie. C'est le lieu privilégié de sa gastronomie, d'un certain art du bien-vivre. Son cidre et les produits qui en dérivent sont au pays d'Auge ce que le Bordelais et la Bourgogne sont au vin.

Découvrez-le par le sud. Sur la rive de l'Orbiquet, Orbec se révèle typiquement augeronne avec, autour de l'église, de son clocher Renaissance et du beffroi, ses maisons, ses hôtels particuliers, un vieux manoir, musée municipal, habillés de colombages et de briques roses.

Au fil de vallées qui courent, parallèles vers la mer, manoirs et châteaux jalonnent les parcours. La Touques vous conduira vers Chiffretot, Bellou, Fervaques où plane le souvenir de Chateaubriand, Saint-Germain-de-Livet, en habit d'Arlequin, puis au-delà de la 13, à Canapville, le « manoir des évêques », à Ouilly-le-Vicomte où le château de Boutemont, du XVIe siècle, s'encadre de jardins de grande beauté, de style classique ou de la Renaissance italienne, à Bonneville, où Guillaume prépara son débarquement en Angleterre. La Vie vous mènera à Coupesarte, construction de bois à la belle unité ; à Grandchamp, au Mesnil-Mauger, à Crèvecœur-en-Auge dont la photo du manoir, siège

Ci-dessous

Incendiées en 1944, les halles de Saint-Pierre-sur-Dives ont été reconstruites avec les matériaux et selon les techniques de leur époque, les XIe et XIIe siècles.

de la fondation Schlumberger, a illustré tant d'ouvrages. Plus à l'ouest, sur la Dives, Vendeuvre, où l'eau est le jeu des jardins, cache un rare musée du mobilier miniature.

Sur ces routes châtelaines, à Lisores, une fresque de Fernand Léger décore le pignon de la ferme de La Bougonnière, un musée dédié à ce peintre.

Ci-contre
A Livarot, les « livarots » font spectacle de leur fabrication. Les cinq roseaux entourant sa pâte ont valu à ce fromage le surnom de « colonel ».

Ci-dessous
La gentilhommière de Crèvecœur-en-Auge. Peut-être la plus célèbre des demeures de style rustique de Normandie.

A Livarot, le fromage de ce nom fait spectacle de sa fabrication. Deux tours, romane et gothique, signalent l'abbaye de Saint-Pierre-sur-Dives. Ses bâtiments conventuels ont accueilli un centre culturel et d'information consacré au fromage ; les moines n'auraient pas désavoué ! Mais la merveille de Dives, ce sont les halles. Détruites pendant la guerre, elles ont été reconstruites telles qu'héritées du XIIIe siècle : 300 000 chevilles de châtaignier assemblent la gigantesque charpente de bois sur laquelle repose le toit.

Juché sur une colline, Beaumont-en-Auge, patrie du mathématicien Laplace, offre sur la vallée de la Touques un vaste panorama. Clermont-en-Auge, depuis la chapelle où une allée de hêtres centenaires conduit, en propose un autre, sur les vallées de la Dives et de la Vie cette fois. Plus caractéristique encore du pays d'Auge, sauvegardé lui aussi, le village voisin de Beuvron-en-Auge, avec ses maisons à pans de bois, son presbytère du XVIIIe siècle, sa halle reconstruite par ses habitants eux-mêmes en 1975, s'honore d'être l'un des plus beaux de France.

Très endommagé par la guerre, Pont-l'Evêque a préservé ou res-tauré quelques éléments de son patrimoine, tels l'hôtel de Brilly, siège de l'hôtel de ville, et l'ancien couvent des Dames dominicaines de l'Isle dont la façade s'orne d'une superbe galerie de bois ; et a fait du couvent le centre culturel Gustave-Flaubert. L'écrivain séjourna souvent à la ferme de Geffosses et a situé à Pont-l'Evêque son récit *Un cœur simple*. Les gourmands se souviendront, eux, que Pont-l'Evêque est aussi l'appellation d'un des trois grands fromages normands.

LISIEUX

Thérèse Martin, enfant d'un horlo-
ger bijoutier venu d'Alençon se
fixer à Lisieux, a fait de cette ville,
sous-préfecture du Calvados, capitale administrative et judiciaire du
pays d'Auge, un fief de la chrétienté
et un centre mondial de pèlerinage.

Le dôme, haut de près de
100 mètres, la nef, le campanile de
la basilique dédiée à celle qui est devenue pour l'Eglise sainte Thérèse
de l'Enfant-Jésus, dressent leur
haute masse blanche au flanc de la
vallée de la Touques, dominant la
ville. De style roman byzantin,
œuvre de l'architecte Louis Marie
Cordonnier, de ses fils et petit-fils,
décorée de marbres et mosaïques
dus à Pierre Gaudin, la basilique,
consacrée en 1954, est sans doute le

plus grand sanctuaire chrétien édifié au XXᵉ siècle. Mais avant de venir y prier l'auteur d'*Histoire d'une âme*, des pèlerins visitent les lieux qui furent ceux de sa vie : les Buissonnets, maison de sa famille qu'elle quitta à quinze ans pour le cloître, la chapelle du Carmel, où une châsse contient ses reliques et l'église Saint-Pierre, où elle assistait à la messe.

Dans une chapelle de cette église, construite aux XIIᵉ et XIIIᵉ siècles, repose Pierre Cauchon, nommé évêque de Lisieux, après le procès de Jeanne d'Arc qu'il présida. L'ancien palais épiscopal, rare édifice à avoir échappé à l'incendie qui ravagea Lisieux en 1943, l'église Saint-Jacques, de style Renaissance, quelques maisons à pans de bois dont celle accueillant le musée d'Art et d'Histoire, les hôtels du XVIIIᵉ siècle où sont installées la mairie et l'école de musique forment le patrimoine architectural lexovien. Les vestiges d'une voie romaine, ceux d'une cité gallo-romaine, le jardin archéologique attestent par ailleurs de la longue existence de cette cité où se marièrent Aliénor d'Aquitaine et Henri II Plantagenêt.

Ci-dessus
Les mosaïques de Pierre Gaudin décorent la plus grande part des voûtes et murs de la basilique Sainte-Thérèse.

HONFLEUR

Eté, hiver, on se presse à Honfleur pour flâner sur les quais, arpenter dans les quartiers du faubourg Saint-Léonard et de l'Enclos les rues pittoresques du plus vaste secteur sauvegardé de France, ou simplement pour « aller voir la mer » tout au bout de la jetée. Rares les villes qui, comme Honfleur, épargnée de plus par la guerre, ont bénéficié de tant d'atouts pour se consacrer au tourisme.

Longtemps place forte, Honfleur a été une capitale de la découverte maritime du monde. Gonneville s'y est embarqué pour le Brésil, Samuel Champlain pour le Québec. Les Honfleurais ont créé avec les Antilles des liens très étroits. Ils ont armé très tôt pour Terre-Neuve. Ainsi ont longtemps prospéré les chantiers de construction navale et ont été édifiés dans l'Enclos les greniers où entreposer le sel destiné à

Ci-dessous
Le Vieux Bassin, au cœur
et le cœur de Honfleur.

conserver la morue. De même, ce sont des charpentiers de marine qui ont construit l'église Sainte-Catherine en donnant à ses deux nefs la forme d'une coque de navire renversée. Le musée du Vieux-Honfleur évoque parfaitement ce passé maritime.

Au XIXe siècle, les peintres – Bonington, Turner, Isabey – assurent sa renommée. Bientôt Eugène Boudin, qui y est né, devient l'ami de Courbet, Jongkind, Monet ; la ferme-auberge Saint-Siméon, le lieu favori de leur rendez-vous. L'œuvre de Boudin n'atteint pas au génie des grands maîtres de son temps, mais

Corot l'a surnommé le « roi des ciels » et Baudelaire a vanté son excellence à en saisir les nuances. Fort justement, Honfleur lui a dédié le musée qu'il avait contribué à créer. Le courant lancé alors n'a jamais cessé de sourdre. On recense à Honfleur quelque quatre-vingts galeries d'art. Rare le jour où un peintre n'a pas planté son chevalet au pied de la Lieutenance, l'ancienne demeure du gouverneur au bord du Vieux-Bassin où chaque risée froisse un peu plus le reflet des hautes maisons du quai Sainte-Catherine.

Poètes, musiciens, historiens, cinéastes se sont joints aux peintres

pour contribuer au renom de Honfleur. Baudelaire adorait cette ville. Il y écrivit *L'Albatros*, *L'Homme et la Mer*, *Le Port*. L'état civil a enregistré ici la naissance du poète Henri de Régnier, de l'historien Albert Sorel, d'Alphonse Allais, le grand humoriste de la Belle Epoque, du musicien Erik Satie dont on visite « Les Maisons ». Si l'on ne lit plus guère les romans de Lucie Delarue-Mardrus, on cite encore volontiers ses vers.

Le patrimoine honfleurais s'est enrichi de ce qu'on nomme ici le « pont de Honfleur », en fait le pont de Normandie. Partant du port, des bateaux permettent de découvrir depuis la mer, qu'il domine de 60 mètres, l'ouvrage d'une portée de 2 141,25 mètres, soutenu par deux piliers de 215 mètres et 184 haubans. Du mont Joli, de la Côte de Grâce, il apparaît comme une œuvre d'art plus que comme un exploit technique.

Au sommet du second de ces sites, la chapelle de Notre-Dame-de-Grâce, construite au XVIIe siècle après l'éboulement à la mer du sanctuaire érigé par Richard II, accueille à la Pentecôte le pèlerinage des marins et pêcheurs normands venus implorer la Vierge. D'innombrables ex-voto, maquettes pendant de la voûte, marbres couvrant les murs, témoignent de leur reconnaissance.

Ci-dessous
Dernier ouvrage d'art sur l'estuaire de la Seine, le pont de Normandie – qu'on nomme ici « pont de Honfleur ». Allez, à la tombée du jour, le découvrir depuis la côte Sainte-Catherine ou le Mont Joli.

LA CÔTE FLEURIE

De Villerville à Cabourg, les stations balnéaires forment une véritable chaîne. Promeneurs ou résidents secondaires, chaque week-end, les peuplent et dépeuplent. « Vingt et unième arrondissement de Paris », la Côte Fleurie est à la Normandie ce qu'est la Côte d'Azur à la Provence.

Vues depuis la corniche, Trouville et Deauville paraissent ne former, de part et d'autre de la Touques, qu'une même agglomération. Elles diffèrent toutefois. A chacune sa plage de sable fin, ses « planches », son casino.

Des peintres ont, vers 1830, découvert Trouville. Les premiers « baigneurs » les ont vite suivis. Mais la ville a grandi autour de ce village de pêcheurs sans plan directeur, ce qui fait son cachet, son authenticité, quelquefois ses embarras. Trouville apparaît vivante, animée, populaire. Les quais du port de pêche, très coloré, très bien préservé, y sont un point de passage obligé. La villa Montebello, construite par le maréchal Lannes, en est le centre culturel. Une salle y est consacrée à l'histoire des bains de mer mais on y évoque aussi le souvenir de Marguerite Duras.

Deauville est née quelques années plus tard sur les friches de la rive gauche de la Touques, à l'initiative du duc de Morny, conseiller de Napoléon III et homme d'affaires. Pressentant l'avenir, il voulut en faire une station balnéaire, une ville de villégiature. Les vitraux de l'église Saint-Augustin illustrent la pose de sa première pierre ; le front de mer, les larges avenues fleuries, les villas inspirées à leurs architectes par les chaumières et les manoirs augerons, telle la villa Strassburger, font bien de Deauville la cité dont avaient rêvé ses fondateurs. Deauville est, en Normandie, le rendez-vous le plus affirmé de la vie mondaine et s'est acquis un renom international. Sur les « planches », près du bar du Soleil,

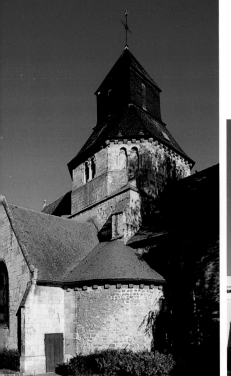

Ci-contre
L'église Saint-Pierre, l'un des deux sanctuaires de Touques, modeste village au bord de la rivière dont il porte le nom.

Ci-dessous
Le rustique normand a beaucoup inspiré les architectes des villas de Deauville. Quant au casino, tout de blanc construit, dans un style plus classique, c'est l'un des plus fréquentés de France.

près des bains Pompéi ou du casino, la foule des anonymes guette les visages et les silhouettes de ceux qui ne le sont plus. Trois événements rythment le calendrier de la saison : les courses hippiques à Clairefontaine ou la Touques, la vente des yearlings les poulains d'un an issus des plus prestigieux croisements et des plus célèbres haras, le Festival international du film américain. La température de l'eau est, à Deauville, bien souvent, le dernier sujet dont on papote.

La foule vous lasse ? « Poussez » jusqu'à Touques. Grimpez au mont Canisy, rejoignez Villers-sur-Mer. La falaise qui sépare cette station de celle d'Houlgate a laissé tomber d'énormes roches à son pied. Couvertes de varech, elles font songer à quelque troupeau de ruminants. Site classé, « Les Vaches Noires » recèlent de nombreux fossiles dont le musée de Paléontologie de Villers présente de beaux spécimens.

Autre « star » de la Côte Fleurie, la plus à l'ouest, Cabourg est née, elle aussi, aux temps des premiers

De haut en bas
L'hôtel Normandy, très caractéristique de l'architecture de Deauville.

Le Casino Barrière à Deauville, l'un des plus fréquentés de France.

« Les Planches » à Deauville, un haut lieu de la vie mondaine de la station, habituellement plus fréquenté.

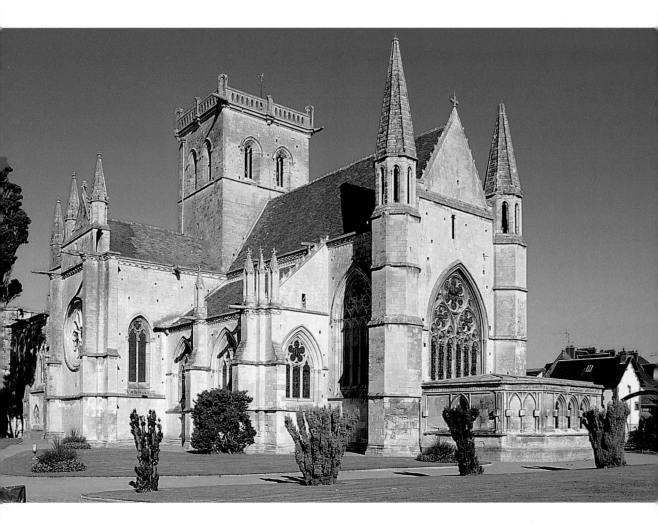

bains de mer. L'ambiance s'y révèle peut-être plus feutrée, plus discrète. Le festival de cinéma est ici placé sous le signe du romantisme. Hôtels et villas, là aussi, ont été bâtis selon un plan, celui de l'architecte Robinet, en étoile autour du centre et du casino. Dans « A l'ombre des jeunes filles en fleurs », Proust, faisant de Cabourg Balbec, a longuement dépeint le monde de cette station où il séjourna souvent et où la chambre 414 du Grand Hôtel était sa résidence favorite. Sur la promenade qui porte son nom, longeant la plage, peut-être croiserez-vous l'ombre d'Albertine.

C'est de l'estuaire de la Dives que Guillaume le Bâtard s'embarqua en octobre 1066 pour Hastings où il allait battre Harold et, couronné roi d'Angleterre, devenir le Conquérant. Des familles anglaises viennent parfois lire, au mur de l'église Notre-Dame à Saint-Pierre-sur-Dives, la liste des 475 chevaliers qui l'accompagnèrent dans l'espoir d'y découvrir le nom de leur ancêtre. L'Hostellerie Guillaume, les halles, le manoir du Bois Hibout, la Lieutenance sont d'autres témoins du passé de cette ville.

Ci-dessus
L'église Notre-Dame à Dives-sur-Mer fut longtemps appelée église du Saint-Sauveur. On venait en pèlerinage y honorer une statue du Christ dont un vitrail évoque l'histoire.

Ci-contre

La chambre du Grand Hôtel
où descendait Marcel Proust
quand il séjournait à Cabourg.

Ci-dessous

La station balnéaire de Cabourg,
la « Balbec » de *A la recherche du temps
perdu*, s'est tout entière construite
autour du Grand Hôtel.

LA CÔTE DE NACRE

Au matin du 6 juin 1944, les plages de la Côte de Nacre, entre l'estuaire de l'Orne et celui de la Vire, entraient à jamais dans l'histoire, prenant alors le nom qu'elles portaient sur les cartes de l'état-major : « Sword » entre Ouistreham et Lion-sur-Mer ; « Juno » entre Bernières et Courseulles ; « Gold » entre Courseulles et Arromanches ; « Omaha », bientôt surnommée « la sanglante », entre Vierville et Grandcamp. Ce sont aujourd'hui quatre étapes du circuit du Débarquement. Les autres se situent dans la Manche où les Américains débarquèrent à Utah Beach et sur les bords de l'Orne où la prise du pont de Bénouville, dans la nuit du 5 au 6 juin 1944, est un épisode fameux du D Day. Ce pont, démonté et reconstitué, appelé depuis lors Pegasus Bridge – Pégase était l'emblème de la 6e division aéroportée britannique qui s'en empara – et la réplique du planeur *Horsa* qui débarqua les hommes à proximité sont exposés au musée-mémorial Pegasus à Ranville.

Des milliers de personnes parcourent chaque année ces sites chargés d'histoire. La mer et les plages en ont gardé peu de traces matérielles. A Arromanches émergent les vestiges des Mulberries, éléments du port artificiel que les Alliés mirent en place dès le débarquement mais que la tempête détruisit quelques jours plus tard. La terre en a conservé une marque plus profonde. On visite à Ouistreham, à Colleville-Montgomery, à Longues ou à la pointe du Hoc les casemates, bunkers et autres fortifications du mur de l'Atlantique. Les moyens audiovisuels, les expositions de la dizaine de musées ouverts dans la région rendent compte de ce que durent affronter les troupes anglaises, canadiennes et américaines pour prendre pied sur le rivage. Un peu en retrait de la côte, d'immenses nécropoles ont recueilli ceux qui par milliers succombèrent dans cette furieuse bataille, telles Colleville-Montgomery, Bayeux, Bény-sur-Mer, La Cambe.

En ces lieux de pèlerinage, la vie cependant a retrouvé ses droits ; sites ou monuments, restaurés, leur passé antérieur. La mer y attire ceux auxquels elle procure plus de plaisir que la vie mondaine. Le château de Bénouville, dû à l'architecte Ledoux, le château de Courseulles, un fort devenu demeure civile aux XVIe et XVIIe siècles grâce à François d'O puis Anne Morat, l'église fortifiée de Ouistreham, quelques villas de Lion-sur-Mer, le clocher de Bernières, ravissent les amateurs de belle architecture. La basilique de Douvres-la-Délivrande est le lieu d'un pèlerinage à la Vierge, une Vierge Noire. La chapelle proche dédiée à Notre-Dame de la Fidélité, construite de dalles de verre, est l'œuvre de René Lalique. Forteresse médiévale parfaitement conservée, le château de Creully abrita, pendant la bataille de Normandie, l'émetteur de la BBC. Le château de Brécy s'ouvre sur un rare exemple de jardin du XVIIe siècle.

Ci-contre
Le donjon carré du château de Creully construit au XIVe siècle.

Ci-contre

Si terribles furent les combats sur cette plage au matin du 6 juin qu'Omaha Beach a reçu le nom d'« Omaha la sanglante ».

Ci-dessous

A quelques pas d'Omaha, le cimetière de Colleville accueille la tombe de 9 386 soldats américains.

BAYEUX

Capitale du Bessin, sous-préfecture du Calvados, siège de l'évêché, Bayeux possède un incomparable patrimoine, épargné par la guerre.

Incendiée en 891 par Rollon, Bayeux est la ville où Harold prêta à Guillaume un serment de fidélité dont on sait ce qu'il advint. Première ville de France libérée, de Gaulle la visita quelques jours après le débarquement et choisit, le 16 juillet 1946, d'y prononcer un discours considéré comme le fondement de la Ve République. Un mémorial rappelle les deux événements. Cette ville à la riche histoire honore ceux qui aujourd'hui l'écrivent. Elle attribue chaque année aux correspondants de guerre un prix Bayeux Calvados. Elle a dédié aux reporters un mémorial.

La cathédrale Notre-Dame est l'édifice le plus exceptionnel de Bayeux, reconstruit, remanié, embelli à de nombreuses reprises. Si la crypte et les tours de la façade sont les seuls vestiges du sanctuaire construit par l'évêque Odon, demi-frère de Guillaume, le dôme massif qui coiffe la tour centrale, dit « le Bonnet », est un ajout du XIXe siècle. La nef, aux belles proportions, mêle roman et gothique tandis que la décoration des grandes arcades se révèle comme un modèle de sculpture romane normande et que les peintures décorant la voûte du chœur gothique représentent les premiers évêques de Bayeux.

Un vieux moulin – Crocquevieille –, un pont à arches, d'anciennes halles à poisson, de nombreux hôtels particuliers édifiés

Page de gauche
Le dôme coiffant la tour-lanterne de la cathédrale de Bayeux n'a été édifié qu'au XIXe siècle. Les tours de la façade datent, quant à elles, du XIe siècle.

Ci-contre
D'intéressantes sculptures du XIe siècle ornent les chapiteaux de la crypte, décorée par ailleurs de fresques du XVe.

Ci-dessus
La roue du moulin de Crocquevieille.

entre le XVe et le XVIIIe siècle – hôtel d'Argouges, maison du Cadran, hôtel de Rubery, hôtel Saint-Manvieux, le jardin public où un hêtre pleureur s'est vu attribuer le label d'arbre remarquable de France, les bords de l'Aure – confèrent à la ville beaucoup de cachet. L'hôtel du Doyen, ancienne résidence du doyen du chapitre de la cathédrale, accueille les collections du musée Baron-Gérard (porcelaines, peinture, dentelles). A proximité, au Conservatoire de la Dentelle, quelques artistes filent encore, au point de Bayeux, cet ornement.

A elle seule, la « tapisserie » a fait la célébrité de Bayeux. Parfaitement restaurée et mise en valeur dans une salle du centre Guillaume-le-Conquérant, cette « tapisserie », conçue comme une œuvre de propagande, raconte à la manière d'une bande dessinée la conquête de l'Angleterre, de ses origines à son terme, justifiant l'expédition. Broderie de laine sur une toile de lin – et non tapisserie –, longue de 70 mètres, haute de 50 centimètres, elle fut commandée par Odon pour décorer la cathédrale et, pense-t-on, confectionnée dans le Kent, en dépit d'une légende qui attribue sa réalisation à la reine Mathilde. Cinquante-huit séquences – mais certaines pourraient avoir disparu – où interviennent six cents personnages, font de la « Telle du Conquest », comme on la nomme aussi, un incomparable document sur la vie quotidienne, les mœurs, les métiers et leurs techniques au Moyen Age, comme sur la bataille d'Hastings.

Aux environs, découvrez, au Molay-Litry, le musée de la Meunerie au moulin de Marcy mais surtout la machine à feu des frères Périer, la pièce la plus remarquable du musée consacré à la seule mine de charbon jamais ouverte en Normandie et qui n'a fermé qu'en 1949. Le château de Balleroy n'a plus à faire sa renommée. François Mansart, l'architecte, André Le Nôtre, le jardinier, Pierre Mignard, le peintre, en ont fait un chef-d'œuvre tandis que l'Américain Malcolm Forbes, qui l'acheta en 1970, y a créé un extraordinaire musée des ballons à air chaud et à gaz. Les châteaux d'Audrieu et de Condé-sur-Seulles, construits l'un et l'autre au XVIIIe siècle, celui de Colombière, typique de l'architecture militaire de l'époque féodale, celui de Fontaine-Henry, aux toits immenses, à la façade admirablement sculptée, celui de Vaulaville, bâti dans le style des folies, celui de Brécy, aux remarquables jardins, forment encore quelques ornements du Bessin. L'église de l'abbaye de Juaye-Mondaye constitue quant à elle l'un des rares exemples d'architecture religieuse classique en Normandie. Le village de Noron-la-Poterie se consacre à la fabrication de poterie selon la technique dite de « grès au sel ». A Caumont-l'Eventé, le « Souteroscope » ouvre le chemin d'ardoisières creusées sous le bocage.

Ci-contre

La séquence 44 de la Tapisserie de Bayeux : Guillaume prend conseil de ses demi-frères, Odon, évêque de Bayeux, et Robert, comte de Mortain.

LA SUISSE NORMANDE

Capitale du bocage, sous-préfecture du Calvados, Vire a fait de son andouille un motif de fierté et, chantés sur les bords de la Vire, les vers du meunier Olivier Basselin ont donné naissance au « vaudeville ».

Très endommagée par la guerre, Vire a conservé des vestiges du rôle de place forte à elle assigné par Henri Ier Beauclerc. Ce sont, à l'aplomb de la rivière, ceux de son donjon. Mais l'impressionnante tour-horloge,

flanquée de deux tours à mâchicoulis et surmontée du beffroi par où l'on pénètre au cœur de la cité, en est le plus remarquable monument.

Non loin, le château de Pontecoulant, modèle d'harmonie et de sobriété, cédé au département du Calvados par la famille de Pontecoulant, est devenu un très beau musée du mobilier.

De Putanges-Pont-Ecrepin, dans l'Orne, à Thury-Harcourt, dans le

Calvados, l'Orne renforcée du Noireau a profondément creusé son lit. Sa vallée serpente entre roches et forêts, revêtant quelque aspect alpin. Un ministre de la IIIe République a vu là une « Suisse normande ». Ne boudons pas notre plaisir. Gorges de Saint-Aubert, méandre de Rovrou, croix de la Faverie, Pain de Sucre, feront le bonheur des plus exigeants des peintres ou des photographes. Comme Pont-d'Ouilly sur ses gués où la surprenante chapelle Saint-Roch est en août le but d'un pèlerinage très fréquenté…, comme Clécy, au pied des Rochers du Parc, haut lieu, en Normandie, de tous les sports de nature. A Saint-Rémi, l'église abrite son clocher roman sous un if énorme. Les Fosses d'Enfer y sont le siège de la Maison des ressources géologiques de Normandie. Y sont évoquées 600 millions d'années de formation de la terre de la province. Au débouché de l'Orne sur la Plaine, le parc et le jardin du château de la Motte à Acqueville feront le bonheur de ceux que réjouit une nature plus aménagée.

Ci-contre

La porte fortifiée de Vire passe pour la plus belle de Normandie. Les tours datent du XIIIe siècle ; le beffroi, où l'horloge fut mise en place en 1480, du XVe.

Page de droite

Le pavillon adjoint au superbe château de Fontaine-Henry surprend par l'ampleur et la pente de ses toits.

FALAISE

Un cheval cabré dont le cavalier casqué et cuirassé brandit une lance – une statue de Rochet –, c'est l'hommage de Falaise à Guillaume le Conquérant, son illustre fils. Il y est né, bâtard, en 1027, y a trouvé refuge à plusieurs reprises quand ses ennemis tentaient de l'assassiner.

La légende, ici encore, fait volontiers son lit de celui de l'histoire. Dans le Val d'Ante, au pied de la forteresse, face au mont Myrrha, un bas-relief désigne la fontaine où Arlette, la fille du tanneur, venait laver son linge. Au château, on vous montrera peut-être la fenêtre d'où Robert l'aperçut et s'en éprit au point d'en

faire bientôt, avec l'assentiment de la belle, son épouse « à la mode danoise » et la mère de Guillaume. Quelles que soient la part du conte et celle de la chronique, Falaise était

Ci-contre

La statue équestre de Guillaume, due à Rochet, a été érigée en 1851 par la ville de Falaise en hommage à son plus illustre enfant.

Ci-dessous

Telle une sentinelle devant la forteresse de Falaise, la tour Talbot, du nom de son constructeur.

déjà une place forte quand Guillaume y naquit en 1027. Néanmoins, les 900 mètres de remparts qui ceignent la vieille ville, renforcés de vingt tours, n'ont été construits que postérieurement à son règne. De même, le grand et le petit donjon, édifiés en 1123 par Henri Beauclerc. De même, la tour Talbot qui, reliée à elle par une courtine, flanque de sa silhouette ronde la masse carrée de la forteresse. Haute de 35 mètres, faite de murs dont l'épaisseur à la base est de 4 mètres, cette tour, qui a conservé le nom de son architecte, est l'œuvre de Philippe Auguste.

Les églises de la Trinité, de Saint-Laurent, de Saint-Gervais étaient déjà fondées à la naissance de Guillaume. Celle de Notre-Dame l'a été grâce aux dons de Mathilde, son épouse. Elle se situe dans le quartier de Guibray, le nom d'une foire aux chevaux qui attira pendant près d'un millénaire les chalands de la France entière et qui existait déjà à l'époque ducale.

Haut lieu de ce temps, Falaise l'est aussi de la bataille de Normandie. Un musée relate comment, prise dans la « poche de Falaise », la VIIe armée allemande y fut anéantie.

Aux environs, l'église d'Aubigny et ses statues orantes des seigneurs du lieu, à Saint-Martin-de-Mieux la chapelle Saint-Vigor où l'artiste japonais Kuoji Takubo a allié avec bonheur l'art médiéval à l'art contemporain enrichissent le patrimoine religieux du pays de Falaise.

Ci-dessus
L'église de la Trinité à Falaise mêle style gothique et style Renaissance.

Ci-contre
Dès l'époque ducale, de nombreux sanctuaires ont été édifiés à Falaise. Ici, l'église Saint-Gervais.

CAEN

Caen, préfecture du Calvados et de la Région de Basse-Normandie, est une métropole où l'espace ne paraît pas mesuré. L'Orne, vers laquelle afflue l'Odon, a créé une large plaine où la cité s'étend à loisir… Quasi rasée en 1944, Caen a été fort intelligemment reconstruite. La pierre blanche, légèrement teintée d'ocre, la « pierre de Caen » dont, au long de ses longues artères souvent rectilignes, ont été bâtis ses immeubles leur confère beaucoup de majesté, de chaleur, de luminosité.

L'« Athènes normande », dit-on de Caen. Une allusion à son élégance, à son ambiance mais aussi au rôle de l'université de Caen fondée en 1432 par le duc de Bedford, représentant du roi d'Angleterre qui occupait alors la Normandie. Tant par la surface matérielle qu'elle occupe – 33 hectares – que par son rayonnement, elle tient une part importante dans la vie de la cité. Sur son campus, la célèbre maquette du plan de la Rome antique, due à l'architecte Paul Bigot, classée à l'inventaire des monuments historiques, attire tous les fervents de latinité et d'histoire romaine. Plusieurs instituts, le Ganil, en font un centre de recherche scientifique. Des entreprises du secteur quaternaire y ont pris le relais d'une industrie sidérurgique, créée en 1908 par le baron Thyssen, mais disparue à la fin du siècle dernier au grand

Page de gauche
L'église Saint-Etienne à Caen, celle de l'abbaye aux Hommes, a été consacrée en 1077 par l'évêque d'Avranches en présence de Guillaume et de sa femme Mathilde.

Ci-contre
Caen, découvert ici depuis les jardins du parc d'Ornano, ne serait-il pas aussi une « ville aux cent clochers » ?

dam de la population nombreuse qu'elle avait fait vivre durant près d'un siècle. Quatre bassins, implantés au long du canal de 12 kilomètres qui relie Caen à la mer en font un port important. Ouistreham, sur l'estuaire, est le point de départ des ferries vers l'Angleterre.

« Ville polyphonique », comme l'écrit Didier Decoin, Caen est avant tout celle de Guillaume le Conquérant. Sinon Falaise, nulle cité normande ne rend plus tangibles sa présence et celle de Mathilde, son épouse. Elle s'impose à l'abbaye aux Hommes comme à l'abbaye aux Dames, construites l'une et l'autre

Ci-contre
La tour lanterne de l'église – ruinée – Saint-Etienne-le-Vieux enrichit encore le patrimoine architectural et religieux de Caen.

Ci-dessous
Moine du Bec, architecte, Guillaume de la Tremblaye restaura au XVIIᵉ siècle les bâtiments conventuels de l'abbaye aux Dames et de l'abbaye aux Hommes. Les premiers sont aujourd'hui le siège du conseil régional de Basse-Normandie.

en pénitence d'un mariage contracté malgré un lien de cousinage. Mort à Rouen, Guillaume a été inhumé à Saint-Etienne, l'église de l'abbaye aux Hommes où dans le chœur une dalle matérialise sa tombe qui, plusieurs fois profanée, ne contient plus qu'un fémur du souverain. Mieux vaut l'imaginer assistant en 1077 à la consécration du sanctuaire. Si elle a été souvent remaniée, l'église Saint-Etienne a conservé une homogénéité certaine, associant harmonieusement styles roman et gothique. L'admirable façade, flanquée de deux tours d'où jaillissent les flèches jumelles qui souvent symbolisent Caen, est celle construite sous son règne. Contigus, les bâtiments conventuels de Saint-Etienne sont l'œuvre de Guillaume de La Tremblaye. Longtemps locaux du lycée François-Malherbe – le poète qui, né à Caen, fixa les règles de la littérature classique –, ce sont aujourd'hui ceux de l'hôtel de ville. L'escalier d'honneur,

la salle des gardes, les boiseries du réfectoire et de la salle du chapitre, les tapisseries suscitent la plus grande admiration.

L'abbaye aux Dames s'élève, sur une légère hauteur, au-dessus du bassin Saint-Pierre. Trapue, massive, privée de ses flèches au XVIIIe siècle, l'église de la Trinité n'a ni l'ampleur ni la hardiesse de Saint-Etienne. Sa sobriété fait sa beauté, notamment celle de la nef de pur style roman. Seize colonnes soutiennent la voûte d'une crypte particulièrement remarquable. Dans le chœur, une dalle de marbre noir évoque la mémoire de la reine Mathilde qui y fut inhumée. Les bâtiments abbatiaux – cour d'honneur, cloître, lavabo, vestibule – ont été restaurés au XVIIe siècle par Guillaume de La Tremblaye et sauvés de la destruction par le conseil régional de Basse-Normandie qui en a fait son siège.

Mais sans doute est-ce le château, prolongé de l'esplanade de la

Ci-dessus

L'entrée du château de Caen. Guillaume en jeta les premières bases avant qu'il ne devienne la plus vaste enceinte fortifiée d'Europe.

Ci-dessous

Haut de 78 mètres, d'une extraordinaire finesse, le clocher de Saint-Pierre à Caen, « roi des clochers normands ».

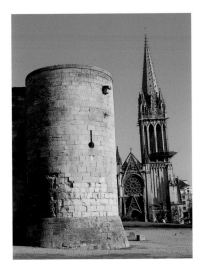

Liberté, qui, au cœur même de la cité, consacre Caen comme la ville de Guillaume. Endommagé pendant la guerre, restauré, il est toujours l'objet de réaménagements qui visent à conforter la vocation touristique et culturelle de ce haut lieu de l'histoire anglo-normande. La masse énorme de ses remparts, parfaitement dégagés et mis en valeur, s'élève au-dessus du port de plaisance, en bordure du centre-ville. Si le duc en entreprit la construction en 1060, la forteresse, où l'on pénètre par une porte protégée d'une

puissante barbacane, ne doit sans doute que son emplacement et son tracé à la première. Henri Beauclerc déjà l'avait renforcée d'un donjon, détruit sous la Convention, mais les travaux visant à la rendre inexpugnable se poursuivirent jusqu'au XVe siècle.

Treize tours renforcent des murailles qui enserrent la plus vaste enceinte fortifiée d'Europe. Dans cet espace très médiéval, où l'on entretient même avec soin un jardin des simples, s'élèvent la salle de l'Echiquier, salle d'apparat de la Cour de Normandie, la chapelle Saint-Georges, ancienne église paroissiale et le Logis du gouverneur qui a accueilli le musée de Normandie. Le musée des Beaux-Arts, dont les peintures des XVIe et XVIIe siècles constituent le fonds le plus remarquable, y a également pris place, musée prolongé par un parc des sculptures où se dressent en plein air des œuvres de Bourdelle, Rodin, Giacometti, Cabanes ou Huang Yong Ping.

L'église Saint-Pierre, la plus proche, est un chef-d'œuvre de l'art flamboyant. Son clocher, haut de 78 mètres, détruit pendant la guerre, s'est acquis le titre, qu'on lui conteste, de « roi des clochers normands ». Les voûtes du chœur, le chevet, les chapelles du déambulatoire retiendront l'attention pour la richesse de leur décor. Autre merveille du flamboyant, Saint-Jean, d'où s'élève, au-dessus du transept, une impressionnante tour-lanterne qui laisse apparaître une certaine inclinaison, également perceptible de la nef. L'instabilité du sol sur lequel l'église est édifiée n'a pas permis de lui adjoindre la flèche et les clochetons qui en auraient fait une réplique de Saint-Pierre. Notre-Dame de Froide Rue offre la particularité de comporter deux nefs. Représentatives de bien des styles, parfois désaffectées, les églises de Saint-Sauveur, de Saint-Nicolas, de Saint-Laurent, de Notre-Dame-de-la-Gloriette, de Saint-Michel-de-

Ci-dessous, à droite
Le musée des Beaux-Arts à Caen, dans les remparts du château. Réhabilité en 1994, il possède en particulier de remarquables collections des maîtres italiens, flamands, hollandais et français des XVIe et XVIIe siècles.

Ci-dessous, à gauche
L'esplanade du Mémorial à Caen.

Vaucelles figureront aussi à l'inventaire des sanctuaires caennais. Les exemples d'architecture civile sont plus rares mais on s'arrêtera à l'hôtel d'Escoville, à la Maison des Quatrans, rare construction à pans de bois dans cette ville, siège du musée de la Poste et des Télécommunications, devant l'hôtel de Thaon, celui de Colomby, à l'aspect bien sévère, ou le pavillon de plaisance de celui de Mondrainville.

La visite de Caen qui, près de l'hôtel de ville, consacre un musée entier à la nature, s'agrémente de celle de nombreux espaces verts : la Prairie, vrai poumon de Caen, l'esplanade de l'hôtel de ville, véritable jardin normand, l'original jardin Luna-Rossa qui associe art floral et sculpture ; le jardin des plantes qui présente quelque 8 000 espèces à la curiosité des botanistes mais encore l'arboretum de la Vallée des Jardins, le parc Michel-d'Ornano, le parc Saint-Paul et le parc floral de la Colline aux Oiseaux où sur 17 hectares fleurissent 570 variétés de roses.

Le Mémorial, aux portes de la ville, affirme l'aspiration de Caen à devenir un espace de la mémoire du monde et de la paix. Les deux ailes de cet édifice de pierre blanche, construit sur l'esplanade Eisenho-

Ci-dessus

Non loin du village de Thaon, cachée dans un vallon verdoyant, cette petite église – désaffectée depuis longtemps – est un chef-d'œuvre d'art roman.

Ci-contre

Ancienne église paroissiale, la chapelle Saint-Georges, dans l'enceinte du château de Caen.

wer, sans ouverture dans leur façade, ne sont séparées que par une « brèche ». Elle symbolise celle que le dernier conflit mondial a ouverte dans l'histoire du monde. Si une partie de ses collections et de ses expositions lui est consacrée, le Mémorial n'est pas un musée de plus où serait évoquée la bataille de Normandie. Le Mémorial, auquel il faut prévoir d'accorder cinq heures de visite, s'attache davantage à montrer quelles ont été les origines du conflit et quelles en ont été les conséquences. Colloques et congrès s'y déroulent nombreux et ont contribué à faire de Caen un centre de réflexion et d'échanges en faveur de la paix.

Aux environs de Caen, le temps a posé bien des jalons. Voilà deux mille ans, s'étendait, aux portes de la ville, la cité d'*Aregenua*, capitale de la tribu des Viducasses, aujourd'hui Vieux-la-Romaine. Un musée, une grande maison en partie re-

constituée, un jardin à l'antique valorisent les fouilles entreprises sur ce site depuis 1703 et toujours poursuivies, permettant au visiteur de découvrir ce qu'était une ville gallo-romaine, quelle y était la vie quotidienne. On pourra même lui proposer un menu… romain !

Les XIe et XIIe siècles ont légué l'église Saint-Pierre à Thaon ; l'abbaye d'Ardenne à Saint-Germain-la-Blanche-Herbe ; le XVIIIe siècle le château de Canon. Cette belle demeure d'aspect italianisant, aux remarquables proportions, a été édifiée par Elie de Beaumont. L'avocat, qui obtint la réhabilitation de Calas, a attaché à ses jardins et à son parc beaucoup d'importance, s'inspirant à la fois des principes anglais et français. Statues et fabriques ornent en grand nombre des espaces parfaitement remis en valeur, baignés de miroirs d'eau, de cascades, de ruisseaux tandis qu'à l'abri de treize

chartreuses mûrissent fleurs et fruits. A Saint-Germain-le-Vasson, le Carreau de Livet évoque la vie au temps de la mine de fer de Soumont, la dernière de l'Ouest. C'était hier !

Ci-dessus
Le château de Canon, construit pour sa femme par Elie de Beaumont, mire sa façade dans l'un des bassins où baigne le parc.

Ci-dessus à droite
Protégés du vent par de hauts murs, les fleurs éclosent, les fruits mûrissent vite dans l'une des treize « chartreuses » des jardins du château de Canon.

Ci-contre
Riches de symboles, comme on l'aimait au XVIIIe siècle, « fabriques » et statues s'élèvent en grand nombre dans le parc du château.

L'Orne

L'Orne est le département normand sans frontière maritime.
L'air ici ne s'embaume que des senteurs de l'humus. Elles ne sont ni moins fortes
ni moins tonifiantes que celles de l'iode. L'air y est aussi plus vif :
la Normandie y culmine au Signal de la forêt d'Ecouves à 417 mètres.

Page de gauche

Entourée du cimetière, s'élevant
au-dessus d'un champ de colza en fleur,
la rustique église de Serans est comme le
symbole de l'éternel renouveau de la vie.

Le Perche, avec le Passais, en est le pays le mieux identifié. La forêt est l'un des attraits majeurs de l'Orne, certains de ses massifs particulièrement. Sur un territoire de 6 103 kilomètres carrés, elle couvre plus de 103 000 hectares. C'est au printemps, à l'automne qu'il faut sillonner l'Orne. Peu peuplé – 293 000 habitants –, peu urbanisé, sans grande ville, le plus discret des départements normands, tout aussi attachant que ses voisins, est un département de nature. Le parc naturel régional du Perche, créé en 1998, couvre à l'est 180 000 hectares ; le parc naturel régional Normandie-Maine, né en 1975, s'étend lui sur 235 000 hectares mais les partage avec la Manche, la Mayenne et la Sarthe. La prairie n'est pas moins belle que le sous-bois. Les chevaux qui y pâturent – de trait ou de trot – sont l'une des fiertés de l'Orne. Comme, en un tout autre domaine, la dentelle, d'Alençon, bien sûr, mais aussi d'Argentan.

On y recense autant de châteaux qu'en général dans toute la Normandie, quelques-uns parmi les plus beaux. L'abbaye de Soligny, vouée au silence, atteint au renom d'autres monastères. Du Moyen Age à nos jours, quelques pages d'histoire s'y sont également tournées. A Domfront, à Tinchebray voilà des siècles ; à Chambois où s'est conclue la bataille de Normandie, hier.

D'OUCHE EN PERCHE

L'abbaye de Saint-Evroult, où Orderic Vital écrivit une *Histoire de
l'Eglise* qui fait la part belle à celle
de la Normandie, n'est plus, à Saint-
Evroult-Notre-Dame-du-Bois, que

Ci-contre

Les ruines de l'abbaye de Saint-Evroult-
Notre-Dame-du-Bois, fondée au
VIe siècle… et où Orderic Vital, qui
y entra à 10 ans et y mourut, écrivit
une monumentale *Histoire de l'Eglise*.

Ci-dessous

L'église et les bâtiments conventuels de la
Trappe de Soligny où les religieux vivent
dans un isolement et un silence absolus.

ruines aux confins de l'Eure et de l'Orne mais elles se dressent dans un cadre d'eau et de verdure qui leur donne beaucoup de charme.

A L'Aigle, la tour de l'église Saint-Martin, au style flamboyant, repose sur une base d'aspect plus austère car bâtie d'un matériau typique du pays d'Ouche, le grison. Minerai de fer assez pauvre, il a donné naissance dans la région à une activité métallurgique dont le musée de la Grosse-Forge, à Aube, raconte l'histoire. A Aube encore, on visite le château des Nouettes où vécut la comtesse de Ségur, l'auteur de *Pauvre Blaise*, *Les Malheurs de Sophie*, *Général Dourakine*…

Une communauté de Trappistes vit, à Soligny, dans un silence et un isolement absolus. L'abbaye, fondée en 1140 par les Bénédictins, dans un cadre de forêts profondes parsemées d'étangs, ne se visite pas mais une « vidéo » présente son histoire. Chateaubriand a raconté la vie de son plus célèbre abbé, Rancé, qui s'y retira après une vie tumultueuse et réforma l'ordre de Cîteaux en mettant en place la règle de la stricte observance.

Ci-contre
La tour de l'église Saint-Martin à L'Aigle, ville ainsi nommée, assure La Varende, pour l'énorme nid découvert dans sa forêt.

MORTAGNE-AU-PERCHE

Dernier territoire conquis par les ducs de Normandie, le Perche doit à son cheval, le solide percheron, autant qu'à ses collines sa notoriété. On découvre à Mortagne-au-Perche la maison natale d'Alain, moraliste, philosophe, auteur de *Propos d'un Normand*, en même temps que la sévère Maison des comtes du Perche. Quelques beaux hôtels du XVIIIe siècle, le cloître du couvent Saint-François, la crypte de Saint-André, les stalles, l'autel de l'église Notre-Dame, de nombreux cadrans solaires dotent cette modeste sous-préfecture dont le boudin noir qu'on y sert fait aussi une étape gastronomique. Un vitrail, à Notre-Dame, rappelle que ses habitants prirent une grande part à la fondation du Québec. A Tourouvre, petite ville proche, la Maison de l'Emigration française au Canada fait revivre cette page d'histoire.

Ci-contre
A quelques pas de la Maison des comtes du Perche, la statue du moraliste et philosophe Alain, de son vrai nom Emile Chartier (1868-1951).

Ci-dessous
Juchée sur une colline, la petite ville de Mortagne-au-Perche, aux confins de la Normandie. Alain, son plus illustre fils, contestait que le Perche fût vraiment normand.

BELLÊME

Au sud du Perche, Bellême, terre de comtes fameux, se révèle comme un superbe belvédère sur l'Huisne. Le porche et les tours sont ceux d'une cité souvent assiégée, par Blanche de Castille et le – futur – Saint Louis notamment… Ses plus belles demeures, rue de la Ville-Close, datent du XVIIᵉ ou du XVIIIᵉ siècle. Classique, l'église Saint-Sauveur s'est « enrichie » des œuvres des abbayes voisines : l'autel à baldaquin, les vitraux, les boiseries du chœur proviennent de celle de Valdieu. Bellême réunit en septembre les spécialistes mondiaux de la mycologie. Entre deux colloques, ils mè-

nent leurs recherches dans les belles forêts, aux futaies de chênes et de hêtres, aux mystérieux étangs, de celle de Reno-Valdieu, au bord de laquelle s'élève la basilique Notre-Dame-de-Montligeon, centre d'un pèlerinage mondial de prière pour les défunts, celle de Bellême, voire plus loin celle de Longny. A Nocé, l'un des nombreux manoirs du Perche, celui de Courboyer, accueille la Maison du parc régional naturel du Perche dont l'écomusée de Saint-Cyr-la-Rosière, à l'ombre du magnifique prieuré de Sainte-Gauburge, retrace l'évolution du XIXᵉ siècle à nos jours.

ALENÇON

Alençon, préfecture de l'Orne, n'est pas la seule ville où l'on ait filé cet indispensable complément jadis de tout linge ou bel habit, la dentelle ; mais elle s'est acquis dans sa fabrication une réputation capitale. Le point inventé par Mme de La Perrière a été jugé par ses contemporains comme le plus beau. En créant, en 1665, la manufacture d'Alençon pour barrer la route aux importations de Venise ou des Flandres, Colbert a beaucoup aidé à la fortune de la ville. Le musée des Beaux-Arts et de la Dentelle dans l'ancien collège des Jésuites vous permettra encore d'en apprécier toute la finesse.

A Alençon, contrairement à d'autres villes, le patrimoine architectural, riche au demeurant, se disperse à travers différents quartiers. Vous ferez au centre le tour d'une massive rotonde à l'imposant toit d'ardoise couvert d'un dôme de métal et de verre. C'est la halle aux blés, édifiée au XIXe siècle. Elle abrite aujourd'hui le centre culturel. Dans le quartier Saint-Léonard, rénové, quelques maisons d'aspect médiéval se reflètent dans les eaux de la Sarthe. Plus à l'ouest, quatre tours, dont la Tour Couronnée, donnent une idée des dimensions du château construit par Jean Le Beau et les ducs d'Alençon, mais en grande partie disparu et dont la forteresse est devenue maison d'arrêt. De quelques beaux hôtels, où Balzac parfois a situé l'action de ses romans – *Une vieille fille*, *Le Cabinet des Antiques* –, Alençon a fait des lieux d'administration : l'hôtel de ville occupe l'ancien palais d'été ; la préfecture, l'hôtel de Guise, demeure des intendants de la Généralité ; l'office de tourisme, l'hôtel d'Ozé. Principal élément du patrimoine religieux d'Alençon, l'église Notre-Dame, dont une admirable scène de la Transfiguration orne le porche à trois pans, illumine sa nef de merveilleux vitraux des maîtres verriers d'Alençon et du Maine.

Face à la Maison d'Ozé, on visite la maison et la chambre où est née en 1873 Thérèse Martin, sainte Thérèse de Lisieux.

A la porte des Alpes mancelles, au sud d'Alençon, le vieux pont, les jardins, le cadre du village de Saint-Céneri-le-Gérei, ont souvent attiré les peintres. Mais aussi l'église romane dont les fresques récemment restaurées sont les plus anciennes de Normandie et la rustique chapelle de Saint-Céneri, lieu d'un pèlerinage au religieux qui, venu d'Italie, fonda au VIIe siècle l'abbaye.

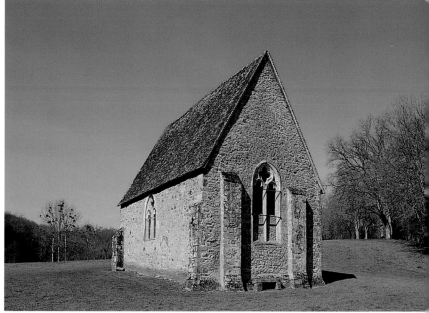

Ci-dessus

L'hôtel de ville d'Alençon, bel immeuble
à la façade incurvée, a été construit
entre 1783 et 1795 sur les plans
de l'architecte Delarue.

Page de gauche

Deux imposantes tours crénelées
protégeaient l'entrée du château
des ducs d'Alençon, bâti au
XIVe siècle, et dont Napoléon fit une prison.

Ci-contre

Dans un méandre de la Sarthe,
cette chapelle du XIVe siècle aurait été
construite sur l'oratoire de saint Céneri,
moine italien qui fonda au VIIe siècle
l'abbaye portant son nom.

SÉES

Peu de villes, telle Sées, au nord d'Alençon, portent à ce point la marque du rôle que l'histoire leur a dévolu. Depuis l'an 400, Sées est le siège d'un évêché. A l'ombre du dais épiscopal les établissements religieux ont longtemps prospéré. Quant à la cathédrale, édifiée au XIIIᵉ siècle, elle s'affirme comme son plus beau monument, même si les contreforts dont il fallut la consolider ont alourdi sa silhouette. Elle est pour les spécialistes « l'un des derniers exemples de l'art gothique normand », pour les responsables du tourisme « le vaisseau phare des sites religieux illuminés de l'Orne ». Des sentiments de paix, de recueillement s'imposent en pénétrant dans la nef qui, à l'égal du transept et du chœur, a préservé toute sa pureté originelle. Un spectacle donné l'été, les « Musilumières », met en valeur son exceptionnelle acoustique.

Ancienne demeure des évêques, le monumental palais d'Argentré, construit par Mgr d'Argentré, précepteur de Louis XVI, date du XVIIIᵉ siècle. L'abbaye Saint-Martin, l'église de style Renaissance Notre-Dame-de-la-Place, la basilique néo-gothique de l'Immaculée-Conception, consacrent Sées comme un lieu remarquable de la chrétienté et de l'art qui en est issu. En toute logique, le musée départemental d'Art sacré y a été installé dans l'ancien logis canonial.

Ci-dessous
Illuminée, la cathédrale de Sées.

LA FORÊT D'ECOUVES

La route reliant Sées à l'ouest de l'Orne longe ou traverse la forêt d'Ecouves, l'un des plus beaux massifs forestiers du département, au paysage parfois tourmenté. Couvrant 14 000 hectares, il est boisé de feuillus ou de résineux, peuplé de grands cervidés. Parmi ses frondaisons s'élève le Signal de la forêt d'Ecouves, point culminant de la Normandie… Randonneurs, promeneurs se retrouvent aux carrefours, nommés ici « étoiles », de la Croix de Medavy, de la Croix Madame, du Chêne au Verdier ou aux Rochers du Vignage, des sites dont de vieilles bornes gardent gravé le nom antique.

Au débouché de la forêt, le célèbre château de Carrouges héberge le siège du parc naturel régional Normandie-Maine. Au château bâti de briques rouges et mêlant styles Louis XIII et Henri IV, on peut préférer, car plus élégant, le pavillon

précédant l'entrée que flanquent deux tours coiffées d'une poivrière. Une sombre légende, celle de Karl le Rouge, s'attache à la demeure qui lui aurait donné son nom. Le château de Couterne, sur la route de Bagnoles-de-l'Orne, construit au XVIe et au XVIIIe siècle, revêt un aspect plus sévère.

Ci-contre
Multiples, les forêts de l'Orne offrent à ce département un décor souvent superbe.

Ci-dessous
L'immense château de Carrouges… auquel on accède par cet élégant pavillon.

BAGNOLES-DE-L'ORNE

Voilà bien longtemps qu'au milieu d'une autre merveilleuse forêt, celle d'Andaines, Hugues de Tessé a découvert les vertus des eaux de la source qui donne naissance à la Vée. Son cheval, Rapide, puis lui-même n'avaient-ils pas retrouvé toute leur vigueur après s'y être baignés ? Si l'on vient depuis long-temps demander à ces eaux quelque soulagement, la station thermale de Bagnoles-de-l'Orne, la seule en Normandie, est de plus récente création et traite les sé-quelles de fracture, les troubles du système endocrinien ou circula-toire. Autour du lac, de l'établisse-ment thermal, du casino plane une ambiance discrète, un brin nostal-gique de la Belle Epoque celle où se construisirent les riches villas de la station.

Dans les parcs quelques séquoias ont grandi au milieu d'essences plus européennes, non moins majes-tueuses. On se promène sous leur ombre de légende en légende, l'une joyeuse, l'autre plus triste, du Saut du Capucin au Roc au Chien, un joli point de vue sur Bagnoles.

Plusieurs parcours permettent à Saint-Fraimbault, localité aux confins du Maine et de la Norman-die, de découvrir les jardins et par-terres de ce village qui a reçu, grâce au travail des jardiniers et de ses ha-bitants, le grand prix national du fleurissement.

Ci-dessus
Dans un écrin de verdure, le casino de Bagnoles-de-l'Orne mire ses pierres blanches sur les eaux d'un petit lac fort romantique.

DOMFRONT

Moyen Age et guerres de Religion furent pour Domfront, forteresse des comtes de Bellême bâtie à 70 mètres à l'aplomb du lit de la Varenne, des périodes fort agitées. Prise par Henri Beauclerc, Domfront devint possession anglaise où séjournèrent, entourés d'une cour brillante, Aliénor d'Aquitaine et Henri II Plantagenêt. Pendant la guerre de Cent Ans, Français, Anglais l'assiégèrent tour à tour. En 1574 enfin, Gabriel de Montgomery, chef des huguenots, qui la tenait dut l'abandonner au maréchal de Matignon, chef des catholiques, avant d'être exécuté plus tard sur l'ordre de Catherine de Médicis.

Domfront a conservé de son passé un fossé, deux pans de murailles du donjon, la base de deux tours. Sully fit en effet détruire la forteresse bâtie sur l'emplacement du jardin public et dont l'enceinte contient les ruines de la chapelle Saint-Symphorien. De vieilles maisons restaurées, des enseignes stylisées rendent à Domfront quelque aspect médiéval. Dans cet environnement, le clocher de l'église Saint-Julien, fait de béton, surprend. Edifié en 1924 dans le style néobyzantin, ce sanctuaire, que décore une belle fresque du Christ en majesté, ne manque pas d'étonner non plus par sa disposition intérieure.

Au pied de la cité, Notre-Dame-sur-l'Eau est l'église d'un prieuré de l'abbaye bénédictine de Lonlay-l'Abbaye qui se situe à quelques kilomètres.

Observez en traversant le Passais, dont la capitale est Domfront, que dans les vergers le pommier cède souvent la place au poirier. Et dans les tonneaux le cidre au poiré, un breuvage non moins pétillant. Parmi les curiosités du Passais, la tour de Bonvouloir à Juvigny-sous-Andaine passe pour le symbole de la virilité du seigneur qui la fit construire. Honni soit qui mal y pense ! En ce pays de bocage et de proche forêt, la métallurgie fut un temps une importante activité. Le Parc des Forges de Varennes à Champ-Secret, où haut-fourneau, forges wallones, fenderie ont été remis en place, le site des Forges au Champ-de-la-Pierre attestent de ce qu'elle était.

Ci-dessous

Les ruines du château de Domfront bâti au XIe siècle par Henri Beauclerc, détruit après de nombreux sièges sur l'ordre de Sully en 1608.

Ci-dessous

L'église Notre-Dame-sur-l'Eau, bâtie au XIe siècle. Le XIXe siècle n'hésita pas à amputer de plusieurs de ses travées ce joyau de l'art roman normand pour laisser passer une route.

FLERS

Flers fut un bastion de la chouannerie dans le Bocage normand. Louis de Frotté, son chef fusillé à Verneuil-sur-Avre en 1800, avait fixé son quartier général au château de Flers, édifice du XVIIIe siècle, aujourd'hui le siège de l'hôtel de ville et où un musée, pour partie, évoque son histoire.

Ci-dessus
Un joli parc entoure le château de Flers, quartier général des Chouans pendant la Révolution, aujourd'hui hôtel de ville et musée du Bocage.

LA ROCHE D'OËTRE

De Flers, rejoignez Putanges-Pont-Ecrepin, une porte vers la Suisse Normande dont l'Orne se partage le territoire avec le Calvados. A Rabodanges, le château XVIIe siècle a pour miroir le lac artificiel créé sur l'Orne dont vous pourrez, en bateau, visiter les 16 kilomètres de rives. En aval, au-delà des gorges de Saint-Aubert, la Roche d'Oëtre surplombe de 118 mètres le ravin où coule la Rouvre. La falaise de grès et de poudingue, trouée de genêts, d'arbrisseaux, se dresse dans un décor forestier d'apparence très sauvage. Sous certains angles, elle affecte le profil d'un visage humain. On atteint aisément son sommet sur l'autre versant depuis la route. Ne vous penchez toutefois qu'avec prudence sur cet abîme normand.

Des sentiers de randonnée ont été tracés au départ de ce site, l'un des plus originaux de Normandie. Plusieurs maisons y offrent étape et informations.

Un espace muséographique a également été aménagé à Saint-Philbert-sur-Orne où découvrir la plus basse mais aussi la plus ancienne des montagnes de France, le Massif armoricain.

ARGENTAN

A chacun son point ! La dentelle d'Argentan n'est pas celle d'Alençon. Examinez-la d'un œil attentif à la Maison des Dentelles qui retrace son histoire ou à l'abbaye Notre-Dame qui perpétue sa fabrication. Conçu également au temps de Colbert, le secret du point d'Argentan avait été perdu. On l'a heureusement retrouvé à la fin du XIXe siècle et son originalité a pu être sauvée. Le château, siège du palais de justice, sa chapelle, les églises Saint-Germain et Saint-Martin constituent le patrimoine architectural de cette sous-préfecture de l'Orne, capitale du... pays d'Argentan, une terre d'élevage, de labours et de forêts, telles celles du Gouffern et du Petit Gouffern.

A Saint-Christophe-le-Jajolet, les automobilistes venus en pèlerinage demander la protection du saint patron des voyageurs, découvriront aussi le château de Sassy dont les jardins en terrasses font la célébrité puis au bord de l'Orne, derrière ses tours coiffées, ceint de son parc et de ses douves, celui de Medavy. Non loin, à Mortrée, une autre demeure seigneuriale reflète dans sa pièce d'eau ses toits pointus, ses hautes fenêtres finement décorées, ses façades au dessin en damier. Beaucoup considèrent le château d'O, édifié au XVIe siècle par Jean d'O puis remanié à diverses reprises, comme le plus élégant et le plus fin de tous ceux de Normandie. François d'O, surintendant des Finances, favori d'Henri III, se ruina, dit-on, à l'embellir.

L'énorme donjon de Chambois a été en août 1944 le témoin de la jonction des troupes américaines et canadiennes qui barrèrent ainsi la route à la VIIe armée allemande. Deux jours plus tard, celle-ci signait à Tournai-sur-Dives sa capitulation. Un monument, au mont Ormel, rappelle la part que des éléments polonais incorporés à l'armée canadienne prirent à cette victoire. A Villebodin, village proche, s'élève l'élégant manoir d'Argentelles, des XVe et XVIe siècles.

Ci-dessous
Le donjon carré de Chambois, magnifiquement conservé, est un bel exemple d'architecture militaire. C'est aussi un haut-lieu de la bataille de Normandie.

LE HARAS DU PIN

Des milliers de passionnés de cheval visitent chaque année le haras du Pin, le plus grand établissement de ce type en France. Courses, présentations d'étalons ou d'attelages attirent toujours un nombreux public, séduit aussi par la visite des sellerie, bourrellerie et divers locaux abritant calèches, breaks, fiacres, landaus et autres voitures d'une époque où le cheval était le moteur des transports.

« Son lieu de repos est un lieu de délices », dit Buffon à propos de l'équidé. Tout a été conçu pour qu'il en soit ainsi au Pin. Si Colbert créa l'institution des haras en 1665, toujours dans le but de limiter les importations, celui du Pin ne fut construit qu'à partir de 1715 et faillit disparaître à la Révolution. Surnommé « le Versailles du cheval », le haras loge dans ses somptueuses écuries, construites en arc de cercle autour de la cour d'honneur – la Cour Colbert –, quelque quatre-vingts étalons, géniteurs de onze races chevalines différentes.

Un parc de 1 200 hectares, de longues allées bordées d'arbres centenaires, des jardins dessinés par Le Nôtre, son environnement valent également au haras du Pin bien des visiteurs.

Ci-dessous
C'est sur les plans de Jules Hardouin-Mansart, l'architecte de Versailles, qu'a été construit le château du haras du Pin qu'on visite, à certaines périodes, au même titre que ce dernier.

PAYS D'AUGE ORNAIS

Le pays d'Auge ornais devrait être connu de tous les gourmets ; mais avant de rejoindre son chef-lieu, Vimoutiers, on s'arrête à Gacé. Là, bien que née près de Bayeux, vécut en son enfance un personnage qui a fourni à la littérature, à l'opéra, au cinéma, l'une de ses plus romanesques héroïnes, Marie Duplessis, dont Dumas a fait La Dame aux camélias. Un petit musée entretient à la mairie son souvenir.

Vimoutiers, petite ville au bord de la Vie, honore un personnage d'une autre nature. Si une fromagerie américaine a offert sa statue à Vimoutiers, beaucoup de ceux qui chaque jour apprécient le produit de son invention ignorent l'existence de Marie Harel, la fermière qui a fait du nom de son village celui du plus renommé des fromages, le camembert. A Camembert même, deux musées, l'un installé dans une ferme rénovée du XVIIIe siècle, le second dans un bâtiment dont l'architecture rappelle la forme du produit lui-même, et quelques exploitations agricoles se consacrent à l'histoire de ce fromage et présentent les procédés de sa fabrication tout en proposant sa dégustation.

A petite distance, le prieuré de Saint-Michel-de-Crouttes, construit entre le XIIIe et le XVIIIe siècle, offre une dernière et très souriante image de l'Orne. Sa roseraie, son enclos de charmille, son jardin de simples, son potager, sa grange aux dîmes restituent tels qu'ils purent être le monde, l'ambiance, la vie quotidienne d'une abbaye.

Ci-dessous

Le camembert, fromage emblématique du pays d'Auge et de la Normandie. C'est Napoléon III qui le fit connaître, mais Thomas Corneille, deux siècles plus tôt, l'évoque déjà.

L'Eure

Traversez l'Eure d'est en ouest par la nationale 13. Ce département n'est-il qu'une vaste plaine, coupée de quelques rideaux de peupliers laissant surgir un clocher pointu et où quelques bourgs alignent leurs maisons de part et d'autre de la route ?

Ci-contre
Derrière cette enceinte, l'abbaye du Bec-Hellouin, fondée en 1035 par Herluin, rendue illustre par Lanfranc et Anselme et où la vie monastique a retrouvé son cours en 1948.

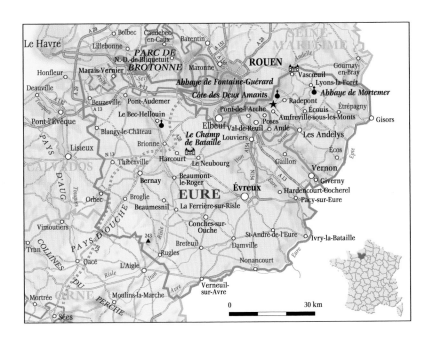

Ce sont les vallées qui font le charme de l'Eure. Peu profondes, celles de l'Avre et de l'Epte bornent le département à l'est et au sud. La Seine, l'Eure et son affluent l'Iton, la Risle où se jette la Charentonne coulent du sud au nord et ont découpé en parts presque égales son territoire de 6 040 kilomètres carrés, l'Andelle jouant sa propre partition. Ces vallées ont été des voies de pénétration. Leurs eaux longtemps ont fait tourner des moulins, voire donné des jambes aux bateaux. Bien des merveilles de ce département se situent en leur creux ou sur leur flanc.

Paris, son agglomération, sont proches. De cette position, l'Eure subit les inconvénients et engrange les retombées. Plus urbanisé, plus industrialisé à l'est, dans les vallées de la Seine ou de l'Eure où vit une large partie de ses 542 000 habitants, le département de l'Eure demeure plus rural, plus agreste à l'ouest. Les surfaces boisées y représentent 127 000 hectares. Jean de La Varende affirmait qu'il « résumait tous ceux de Normandie ».

L'Eure veut être aujourd'hui, en ses sites encore paisibles, lieu de ressourcement.

Les Andelys, Le Bec, Cocherel, Ivry y sont chargés d'histoire. Un peintre, des peintres ont fait de Giverny un haut lieu de l'impressionnisme et de l'art.

LA HAUTE VALLÉE DE L'EURE

Pacy-sur-Eure, où il faut découvrir les vitraux et le maître-autel de l'église Saint-Aubin, a été longtemps la première étape en Normandie des Parisiens filant vers la côte. La ville peut être toujours le point de départ d'une balade en haute vallée de l'Eure. Vers Ivry-la-Bataille par exemple. Après la visite des ruines de la forteresse érigée au Xe siècle, partez jusqu'à l'obélisque, en plein champ, dressé sur l'ordre de Napoléon pour commémorer une bataille plus connue pour le mot qu'Henri IV y lança que par la victoire qu'il y emporta sur les ligueurs : « Ralliez-vous à mon panache blanc ! » Au fil de la rivière,

deux communes consacrent un musée à l'activité qui les a ou qui les fait vivre : Ezy-sur-Eure, la fabrication des peignes ; La Couture-Boussey, celle des instruments à vent.

Le nom de Cocherel, joli village à l'aval de Pacy, figure dans toutes les « Histoire de France ». En 1364 en effet, c'est là que Du Guesclin tailla en pièces les « Anglais » de Charles le Mauvais, roi de Navarre. Cocherel peut y figurer à un autre titre. Un monument au bord de l'eau, « Les Méditations », indique que le village fut la résidence favorite d'Aristide Briand. « L'apôtre de la paix », aux efforts si vains, repose dans le cimetière voisin.

Ci-dessous

Cette vieille maison, bâtie sur les piles du vieux pont de Vernon,
a revêtu au siècle dernier l'habit rustique des chaumières normandes.

VERNON

La Seine, qui vient ici d'entrer en Normandie, s'étire à Vernon entre quelques îlots et les piles d'un vieux pont. La ville, dont on se plaisait à faire sa résidence, a développé ses quartiers sur chaque rive du fleuve, revêtant souvent des aspects bucoliques. Juin venu, l'air embaume du parfum des tilleuls qui par centaines ombragent ses avenues.

Point de passage sur la Seine, Vernon fut fortifiée par Rollon… et durement bombardée en 1944 par les Alliés pour couper ses ponts. Henri Iᵉʳ d'Angleterre entreprit, rive gauche, la construction de la tour dite des Archives mais c'est Philippe Auguste qui la poursuivit. Rive droite, le château des Tournelles, bâti au XIIᵉ siècle, protégeait un pont dont les piles émergent encore sur lesquelles une vieille maison paraît défier le temps. Rive gauche, intégrées aux constructions modernes, quelques maisons à pans de bois, dont celle du « Temps jadis », ont survécu au temps et à la guerre. Du XIIᵉ siècle à la Renaissance, chaque époque a remanié l'église Notre-Dame dont la rosace sur la façade, à l'intérieur le triforium, la tribune des orgues, les vitraux constituent les plus remarquables éléments. Quatre demeures des XVᵉ et XIXᵉ siècles réunies abritent le musée municipal A.G. Poulain dont les tableaux de Pierre Bonnard et quelques Monet font la principale richesse.

Vernon, ville au riche passé, est aussi de celles où se prépare l'avenir : la Snecma y conçoit et met au point les moteurs des fusées Ariane.

Au cœur de la forêt qui descend vers le fleuve depuis le hameau de Normandie s'étend le parc du château de Bizy. Des fontaines de style baroque – de Neptune aux lions, de Gribouille, aux chevaux marins, aux dauphins – égaient de leurs eaux le parc dessiné au XVIIIᵉ siècle par Garnier d'Isle et classé monument historique. C'est Louis-Philippe qui remodela ce parc à l'anglaise et y fit planter nombre des arbres qu'on y admire. Construit en 1741 sur les plans de Constant d'Ivry pour le petit-fils du surintendant Fouquet, le duc de Belle-Ile, le château de Bizy a souvent changé de mains. N'en conservant que les écuries, le beau-frère du duc d'Albufera alors maire de Vernon, le baron Schickler, en fit reconstruire le corps central en 1858. C'est le beau bâtiment de pierre blanche, au style italianisant qui s'élève au centre de la cour d'honneur et où tapisseries, boiseries, mobilier feront le ravissement de tous les amateurs d'objets d'art.

GIVERNY

En 1976, M. Van der Kampf, leur conservateur, entreprenait de remettre en valeur la maison et les jardins où Claude Monet, né à Paris mais très lié déjà à la Normandie, après avoir acheté une grange pour en faire son atelier, avait vécu de 1890 à 1926. Ainsi le village de Giverny, sur les bords de l'Epte et à la frontière de la Normandie, est-il devenu en quelques décennies la capitale de l'impressionnisme mais aussi un haut lieu de l'art et de la culture, parmi les plus fréquentés de Normandie.

Du printemps à l'automne, on se presse aux portes de la grande maison à la façade crépie de rose, aux volets verts sous son toit d'ardoises

Ci-dessous

En toute saison, les jardiniers s'efforcent de fleurir les jardins de Monet dans l'esprit où le peintre lui-même le faisait.

pour y découvrir les objets de la vie quotidienne de l'artiste et sa surprenante collection d'estampes japonaises. On s'attarde surtout dans le jardin reconstitué dans l'esprit de son créateur qui en fut le peintre infatigable. De part et d'autre du petit pont sur lequel on se penche, fleurissent toujours de ces nymphéas dont il s'acharna à saisir, sur la pièce d'eau, toutes les nuances.

Etait-ce une certaine clarté du ciel, la proximité du lieu avec Paris ? Dès l'époque où Monet s'y était installé, des peintres américains avaient choisi Giverny pour résidence et y avaient planté leur chevalet, suivis par des centaines d'autres jeunes artistes. On assure même que Lily Cabot conseilla Monet dans l'achat des graines de son jardin. Ainsi la Fondation du Terra Museum of American Art de Chicago, création de l'ambassadeur Daniel J. Terra et de son épouse Judith, a-t-elle édifié à Giverny un musée consacré aux artistes américains de cette époque mais aussi à tous ceux de ce pays, de ses origines à nos jours. Ce musée parfaitement intégré au paysage, avec ses lignes très simples, ses toits couverts de végétation, a vite assuré sa fréquentation grâce à la richesse de ses collections, aux couleurs du jardin qui l'entoure, à la qualité des colloques qui y sont organisés.

GISORS

Une énorme forteresse surplombe
la ville de Gisors qu'on atteint en remontant le cours de l'Epte. A la
frontière du Vexin normand, Gisors
en était l'œil et la lance, dardés vers
le royaume de France. Construite
par Guillaume le Roux, renforcée
par Henri II Plantagenêt, elle tomba
dès 1193 aux mains de Philippe Auguste. Sully, cinq siècles plus tard,
en ordonna la destruction mais
l'ordre resta sans effet, au grand
bonheur des spécialistes de l'architecture militaire : l'ouvrage modèle
leur est parvenu presque intact. Au
milieu de l'enceinte, le donjon et la
tour de guet défient tout assaut.
D'acharnés chercheurs de fortune
ont cependant failli jeter bas la forteresse en fouillant ses fondations
pour y découvrir un trésor des
Templiers qui ne pouvait s'y trouver… Sculptures et vitraux de
l'église Saint-Gervais-et-Saint-Pro-
tais font tout l'ornement de l'édifice
des XIIIe et XVIe siècles.

Ci-contre
Donjon et tour de guet du château de
Gisors paraissent défier tout assaut.
Pendant la guerre de Cent Ans,
la forteresse cependant changea
plusieurs fois de mains.

ECOUIS

C'est à Mortemer, près de Lisors, qu'en 1054 les troupes de Guillaume le Conquérant surprirent dans leur sommeil… ou leur ivresse celles du roi de France qui envahissaient le duché et en firent grand massacre, dit le poète. Rien ici n'évoque l'affrontement. Dans ce cadre vallonné et paisible, s'élève en revanche une abbaye, en grande partie ruinée. Un musée y évoque entre autres légendes et fantômes normands.

A Ecouis, toute proche, l'église collégiale Notre-Dame fut fondée par Enguerrand de Marigny, le surintendant de Philippe le Bel, qui, victime d'un complot, finit sa vie pendu au gibet de Montfaucon. Datant du XIVe et du XVe siècle, des statues du Christ, de Notre-Dame d'Ecouis, de sainte Cécile, sainte Marguerite, saint Nicaise, sainte Marie Madeleine – vêtue de sa longue chevelure – ou de membres de la famille de Marigny font de cette église un haut lieu de la sculpture en Normandie.

Ci-dessous
L'église collégiale d'Ecouis dont il faut, sans faute, pousser la porte : nef et chœur sont un véritable musée de la sculpture, décorés de statues des XIVe et XVe siècles.

LYONS-LA-FORÊT

Recensée au nombre des plus beaux villages de France, Lyons mérite on ne peut mieux l'épithète qui lui est accolée. Dix mille hectares de forêts entourent… Lyons-la-Forêt. Après un regard aux halles, chef-d'œuvre des charpentiers, aux vieilles demeures, on part au fil de longues allées vers l'arboretum, vers les arbres les plus remarquables d'une des plus belles hêtraies de France ou vers les hameaux cachés dans les clairières.

A l'ouest de la forêt, le Crevon et l'Heron font courir leurs eaux claires à travers le parc du château de La Forestière, au monumental pigeonnier. Siège d'un centre d'art contemporain, le château de Vascœuil eut pour hôte Jules Michelet qui y écrivit une partie de son *Histoire de France*. L'historien a évoqué dans son journal les liens sentimentaux qui l'unirent à la propriétaire, Mme Dumesnil, une passion vite interrompue par la mort de cette dernière. Quelques objets, manuscrits, souvenirs, réunis en un petit musée, évoquent son séjour à Vascœuil.

LA CÔTE DES DEUX AMANTS

Mais quelque malédiction semble peser sur les amours, vraies ou fictives, nées en ce coin de terre. Une petite route, contournant la colline, et quelques pas à pied mènent d'Amfreville-sous-les-Monts au sommet de la Côte des Deux Amants. C'est un superbe belvé-

Ci-dessus

« [...] à peine avez-vous dissipé l'ombre portée de la filature maudite que l'abbaye de Fontaine-Guérard vous ouvre ses chemins de transparence. » Philippe Delerm, *Les chemins nous inventent*.

dère, mais après un regard sur la vallée de la Seine, penchez-vous sur la pente à vos pieds et songez au tragique destin de la fille du roi de Pîtres et de son amant, conté par Marie de France :

*Jadis advint en Normandie
Une aventure souvent ouïe
De deux enfants qui s'entraimèrent.*

Pour obtenir sa main du maître des lieux, le jeune homme, aidé d'un filtre, avait porté son amie du fond de la vallée à ce sommet ; mais

l'effort l'avait tué et elle avait, aussitôt, succombé à son chagrin.

Au pied de la Côte, à Radepont, l'abbaye Notre-Dame-de-Fontaine-Guérard, fondée au XIIe siècle, élève au bord de l'Andelle les ruines de son église abbatiale et, préservées, la chapelle Saint-Michel, la salle capitulaire et la salle de travail des moniales, des religieuses cisterciennes. Le monastère a tenu lieu de carrière pour construire, dans un style faussement médiéval, une filature, détruite peu après par un incendie et que l'on confond parfois avec lui.

POSES

Géographie, génie civil, faune, loisirs : la boucle que forme la Seine avant de pénétrer de l'Eure en Seine-Maritime multiplie les centres d'intérêt. Maupassant, lui-même, a consacré un reportage à la construction des écluses d'Amfreville-sous-les-Monts qui livrent passage aux bateaux remontant la Seine vers Paris ou en descendant. Un musée évoque d'ailleurs les différents aspects et l'histoire de la navigation sur le fleuve qu'on franchit, dans le prolongement des écluses, au-dessus des impressionnants bouillonnements du barrage de Poses. A l'amont, de grandes ballastières ont été aménagées pour former la base de loisirs la plus importante de Normandie. Le groupe ornithologique normand a fait de la réserve de la Grande Noé, située sur ce même site, un point d'observation des migrateurs et autres oiseaux du bord de l'eau qui la fréquentent en grand nombre.

A proximité, la Normandie joue, comme elle aime, de ses contrastes. Chacun se fera une opinion de la politique de déconcentration parisienne en visitant Val-de-Reuil, l'une des villes créées à cet effet voilà une quarantaine d'années. Au confluent de l'Eure et de la Seine, Pont-de-l'Arche est en revanche une très ancienne cité. Ceinte de rem-

Ci-contre
Aux portes de Pont-de-l'Arche, Bonport, fondée à la suite d'un vœu de Richard Cœur de Lion, a retrouvé toute sa place sur la route des abbayes normandes.

parts et fossés dont demeurent bien des vestiges, elle s'est établie au premier point de passage possible d'une rive à l'autre de la Seine.

Un vitrail de Notre-Dame-des-Arts illustre comme il était difficile aux bateliers de franchir l'arche du pont fortifié qui la défendait. Aux portes de la cité, l'abbaye cistercienne de Bonport, créée en accomplissement d'un vœu de Richard Cœur de Lion qui près de là échappa à la noyade, a trouvé la place qu'elle méritait sur la route historique des abbayes normandes.

Sur la rive droite de la Seine, un peu en amont le moulin d'Andé, très jolie construction à pans de bois typique datant du XIIᵉ siècle, s'avère le dernier témoin, en Europe, des moulins à roue pendante. Sa propriétaire en a fait un espace consacré au cinéma et à la musique.

LOUVIERS

Louviers, dont Mendès France fut maire, a longtemps disputé à Elbeuf, sa voisine, le titre de capitale drapière de la Normandie. Le déclin de cette industrie, dont le musée municipal fait revivre les heures glorieuses, a rendu vaine cette rivalité. On l'imagine peu mais les multiples bras et biefs de la rivière qui courent à travers la ville furent longtemps la voie d'approvisionnement et d'expédition des filatures et des tissages. Sans doute est-ce à cela que Louviers doit d'être la seule ville d'Europe où un cloître, celui du couvent des Pénitents, ait été édifié sur l'eau. A quelques pas, le flanc sud et le porche de Notre-Dame attestent de la virtuosité des sculpteurs et tailleurs de pierre à l'apogée du flamboyant. La nef, au style gothique plus dépouillé, s'orne de belles statues des XVᵉ et XVIᵉ siècles et l'abside de l'enfeu d'un seigneur local, Robert d'Acquigny. En offrant l'un des vitraux, les tisserands de Louviers ont témoigné de la richesse et de la puissance de leur corporation dès la fin du Moyen Age.

Aux environs, Acquigny impose un détour. Le château du XVIᵉ siècle s'élève au milieu d'un parc et d'un jardin qui cultivent à la fois classicisme, romantisme et exotisme. Dans la ferronnerie des grilles s'entrelacent les initiales de chacun des prénoms des bâtisseurs de cette belle demeure.

Ci-dessous
Construit par Anne de Montmorency-Laval, veuve de Louis de Silly, au XVIᵉ siècle, le château d'Acquigny a été agrandi de deux ailes au XVIIIᵉ siècle.
(© Office de tourisme de la CapEvreux)

LES ANDELYS

Ci-dessus
Au prix d'énormes travaux et d'une ruse, le 6 mars 1204, les troupes de Philippe Auguste, roi de France, pénétraient dans le château construit huit ans plus tôt par Richard Cœur de Lion et s'en emparaient.

A l'amont du cours de la Seine, le Grand et le Petit Andely ont formé la commune des Andelys, sous-préfecture de l'Eure. Site historique, l'un des ouvrages les plus fameux de Normandie, le Château-Gaillard, surplombant la ville, se dresse au sommet du flanc de la vallée, un flanc écaillé de courtes falaises cal-caires, troué de l'entrée de grottes profondes.

Quand Richard Cœur de Lion rentre de croisade, son frère Jean a abandonné le duché au roi de France. Il veut le reconquérir et, en 1196, entreprend d'édifier cette for-teresse. L'à-pic sur lequel elle est bâtie la protège sur un flanc ; de profonds fossés, le châtelet et des remparts du côté du plateau ; au centre des terre-pleins, la tour centrale, rehaussée d'un donjon, paraît inexpugnable. Bientôt, Richard peut s'écrier : « Qu'elle est belle ma fille d'un an ! » Mais quand, en 1203, Philippe Auguste lui donne assaut, Richard, tué en assiégeant Châlus, n'est plus là pour la défendre. En février 1204, après de formidables travaux de siège, les Français… y pénètrent par les latrines. Ses défenseurs n'auront pas le temps de se réfugier dans le donjon. L'histoire du duché s'achève au Château-Gaillard, sinon à Rouen qui capitule quelques semaines plus tard. En parcourant ses ruines, les Normands peut-être rêvent d'en ré-

écrire ce chapitre. Tous songent à l'audace un peu folle de ceux qui l'assaillirent.

Tombée aux mains des rois de France, la forteresse imprenable ne fut détruite que bien plus tard, sur l'ordre d'Henri IV, puis de Richelieu, ses pierres étant en partie réutilisées pour construire à Gaillon le palais d'été des archevêques de Rouen. Elle avait entre-temps subi bien d'autres assauts et Louis le Hutin, son mari, y avait fait enfermer Marguerite de Bourgogne qui y mourut bientôt, étranglée. De l'enceinte de Château-Gaillard, la vue s'étend sur la vallée de la Seine qui revêt là quelques-uns de ses plus beaux atours. Au pied de la muraille, le dôme du clocher de Saint-

Jacques, la flèche gracile de Saint-Sauveur, les tours majestueuses de Notre-Dame émergent des toits des Andelys. On ne manquera pas de les visiter, ainsi que le musée Nicolas-Poussin, le grand peintre né à Villers, près des Andelys, en 1594. Ni enfin de jeter une pièce à la fontaine dont sainte Clotilde, dit la légende, changea un jour l'eau en vin pour abreuver les maçons qui construisaient l'église.

Ci-contre
Le Petit Andely, sur la rive de la Seine, et le Grand Andely, dans le vallon du Cambon, ont formé Les Andelys au-dessus desquels jaillit le grêle clocher de l'église Saint-Sauveur.

EVREUX

Préfecture de l'Eure, ville industrielle, important pôle agricole, Evreux est également le siège d'un évêché dont Du Perron, nommé à sa tête en 1591, cardinal treize ans plus tard, fut le plus illustre titulaire.

Le portrait d'un Ebroïcien qui vécut au IVe siècle, remis au jour et en valeur les thermes de la cité sacrée gallo-romaine de Gisacum au Vieil-Evreux, commune proche, fixent à une lointaine époque la naissance du chef-lieu de l'Eure.

Son histoire est faite de tragédies. Evreux fut incendiée, mise à sac par les Vandales, les Vikings, Henri Ier d'Angleterre, Philippe Auguste, Jean le Bon, Charles V ; bombardée par les Allemands en 1940, puis, à maintes reprises, par les Alliés.

Une promenade au bord de l'Iton, dont les bras et biefs baignent Evreux, et derrière les remparts qui entouraient la cité dès l'époque gallo-romaine, conduit à l'essentiel. Quand, la nuit, les projecteurs arrachent à l'ombre la tour-lanterne, la flèche, la nef de Notre-Dame, la ville tout entière, vue des hauteurs de la Côte Saint-Michel ou de la Côte de Paris, semble se serrer autour du sanctuaire maintes fois reconstruit ou remanié entre le Xe et le XVIIIe siècle, puis à notre époque. Le croisillon nord et son portail sont sans doute ses plus beaux éléments architecturaux mais on examinera longuement le détail des clôtures des chapelles latérales et les soixante-dix verrières des XIIe, XIVe et XVe siècles qui éclairent chœur et nef : ce sont des chefs-d'œuvre.

A proximité, le palais épiscopal, construit au XVe siècle, est devenu musée municipal. Son département archéologique s'avère le plus digne d'attention. La promenade en centre-ville conduit ensuite à l'hôtel de ville et au théâtre municipal, entourés d'un beau cadre de verdure et tous deux typiques d'une architecture de la fin du XIXe siècle. Face à cet ensemble, la fine et très élégante silhouette d'un beffroi construit au XVe siècle, jette, au-dessus d'immeubles plus modernes, une note médiévale.

Sur le chemin du quartier excentré de Navarre, l'église abbatiale Saint-Taurin, fondée en 660, recèle un trésor de l'orfèvrerie du Moyen Age : la châsse d'argent doré, ornée de pierres précieuses, contenant la dépouille du premier évêque d'Evreux.

Ci-dessus
Echappées aux destructions de la guerre, les verrières de la cathédrale d'Evreux sont, avec les boiseries des chapelles entourant la nef, l'un des plus beaux ornements du sanctuaire.

Page de droite
Les promenades au bord de l'Iton offrent des vues remarquables sur la cathédrale.

CONCHES

En ramenant de Conques, lieu d'un célèbre pèlerinage de l'Aveyron, une relique de sainte Foy, la jeune martyre qu'on y honore, Roger de Tosny a sans doute donné son nom à Conches, la place qu'il y fonda, aujourd'hui jolie ville nichée 144 mètres au-dessus du lit du Rouloir. Donjon, statuaire moderne sur la place principale, maisons à pans de bois, ateliers d'art, jardin public,

Conches se révèle surtout comme un lieu incontournable de l'art du vitrail et du verre auquel la ville a consacré un musée. Les vingt-deux verrières qui éclairent l'église Sainte-Foy datent pour la plupart des débuts de la Renaissance, et ont été réalisées par le grand maître Arnoult de Nimègue et par Romain Buron. L'intensité des bleus et des rouges, les représentations de la

Cène, de la Vierge entourée de saint Adrien et saint Romain, la symbolisation du mystère de l'Eucharistie – le Pressoir mystique – figurent parmi les œuvres les plus merveilleuses de cet ensemble.

Ci-contre
Surplombant la vallée du Rouloir, le donjon et les ruines du château bâti à Conches par Roger de Tosny.

VERNEUIL-SUR-AVRE

« Onques n'est clos », disent les armes de Verneuil-sur-Avre dont l'emblème est un œil. La ville fut en effet une pièce maîtresse de la ligne de défense – la ligne de l'Avre – qui protégeait le duché normand et sépara, pendant la guerre de Cent Ans, Anglais et Français jusqu'à ce qu'en 1449 elle ne devienne définitivement française.

Construite par Philippe Auguste, la Tour Grise est le principal vestige de ce passé. A moins qu'on ne considère pour tels les fossés et bras d'eau qui enserrent ou parcourent la ville. Ils sont en effet l'aboutissement d'un exploit d'Henri Beauclerc. L'eau manquait à Verneuil pour emplir douves et fossés. L'Avre coulait en territoire français. Beauclerc fit donc détourner l'Iton qui court à 10 kilomètres de là.

Plus hauts que la Tour Grise, donjon d'aspect sévère, bâti de grison, les quatre étages de la tour de l'église de la Madeleine culminent à 60 mètres au-dessus de Verneuil, comparés parfois à la tour de Beurre à Rouen. Ses vitraux, de nombreuses statues, un tableau de Van Loo, ajoutent à ses qualités architecturales. Un cénotaphe y a été également érigé à la mémoire de Louis de Frotté, chef chouan. Voisine, Notre-Dame rassemble des œuvres des sculpteurs de l'école de Verneuil. Les statues de la Vierge à la Pomme, de la Vierge Dolente, de saint Denis, de saint Jacques ou de saint Christophe attestent de leur virtuosité, qu'ils aient travaillé la pierre ou le bois.

Parfaitement restaurées, de nombreuses maisons à pans de bois ou de pierre bordent les rues, conférant à cette ville beaucoup de cachet.

En haut
La richesse et la finesse des sculptures de la tour de l'église de la Madeleine à Verneuil-sur-Avre, haute de 60 mètres, la font souvent comparer à la tour de Beurre de la cathédrale de Rouen.

Ci-contre
Une belle façade à damiers pour cette vieille demeure de Verneuil-sur-Avre.

BEAUMESNIL

Le paysage du pays d'Ouche peut paraître austère. Champs et prés se morcellent de bois, se trouent de taillis masquant une vieille marnière. Conches, Breteuil, Beaumont, de grandes forêts le couvrent aussi. Les traversant le soir, à l'automne, vous y entendrez le brame des cerfs peuplant leurs halliers.

Sur la route de Conches à Bernay, découvrez La Ferrière. Le bourg paraît dormir entre sa halle du XIVe siècle et son église aux murs en damier sur le bord de la Risle. A quelques kilomètres, sur le plateau cette fois, au centre d'un second bourg aussi paisible, surgit au bout d'une allée une façade de calcaire

blanc et de briques roses, dont une manière de tour-lanterne coiffe les toits. Du château de Beaumesnil, chef-d'œuvre du style Louis XIII, Jean de La Varende, qui repose non loin de là, à Chamblac, a fait le « Mesnil Royal » de son roman *Nez de cuir*. La grande demeure abrite aujourd'hui un musée de la reliure. Dessiné par La Quintinie, le parc à la française qui l'entoure, avec ses miroirs et ses jets d'eau, son jardin de Madame, ses allées de tilleuls n'est pas moins remarquable. Un buis, énorme, y a prospéré : c'est le labyrinthe, attraction favorite des jardiniers du XVIIIe siècle. On peut toujours s'y égarer.

Ci-contre
« Il n'y a pas en France de demeure Louis XIII d'une telle beauté », écrit Jean de La Varende dans *Nez de cuir* à propos du château de Beaumesnil.

BEAUMONT-LE-ROGER

Entre Beaumesnil et Le Neubourg, Beaumont-le-Roger est une de ces jolies villes semées sur le cours de la Risle mais qui ne s'animent guère qu'au week-end. Dans un décor idyllique, l'église Saint-Nicolas, reconstruite à l'identique après la guerre, son clocher, où Régulus, l'automate, n'a jamais cessé d'égrener les heures, s'élève au flanc abrupt de la vallée, surplombant la place et la rue principale. Au même flanc de coteau, plus à l'aval, l'abbaye de la Trinité dresse des ruines très romantiques, laissant deviner derrière leurs arcades le pan de mur d'une forteresse depuis très longtemps disparue, celle peut-être que construisit Roger de Beaumont. Au creux de la vallée, la rivière et ses bras coulent au revers des maisons, de leurs jardinets, de quelques bouts de prés jusqu'à ce qu'ils s'étranglent sous les arches d'un vieux pont.

Ci-dessus

Au flanc de la vallée de la Risle, dominant la petite ville, les ruines du prieuré de la Trinité à Beaumont-le-Roger.

LE NEUBOURG

Beaumont s'étire au long de la rivière. Le Neubourg est comme posé sur l'immense et fertile plaine – la plaine du Neubourg – dont il est le cœur. Au centre, la façade de l'église Saint-Pierre-et-Saint-Paul, édifice du XVIᵉ siècle, s'ouvre sur une place, toujours trop étroite pour accueillir le marché. Le Neubourg, autrefois protégé de remparts qui affleurent encore du sol, a toujours été une grande place agricole. Pittoresque, animé, très achalandé de produits du terroir – de foie gras quatre fois l'an –, ce marché mérite le détour. Curiosité : le musée de l'Ecorché d'anatomie où sont exposés les modèles en papier mâché créés par le docteur Auzoux pour les écoles de médecine.

Aux environs, 138 hectares de parcs et jardins à la française, nouvellement restaurés, entourent le château du Champ-de-Bataille, magnifique construction du XVIIᵉ siècle dont la décoration et l'ameublement évoquent un art de vivre qui fut plutôt celui du XVIIIᵉ. Médiéval, plus rude, affirmant sa vocation défensive, le château d'Harcourt, berceau d'une grande famille française, se situe au centre du plus ancien arboretum de France, conçu dès 1826. Quelque quatre cents espèces de ligneux y sont plantées.

Ci-dessus
Construit pour être une forteresse au XIIᵉ siècle, réaménagé au XVIIᵉ, le château d'Harcourt a gardé de ses origines quelque aspect militaire. L'arboretum qui l'entoure est le plus ancien et l'un des plus riches de France.

Ci-contre
138 hectares de parcs et de jardins entourent le château du Champ-de-Bataille, une bataille dont on ne sait rien et un espace à la mesure de la plaine du Neubourg.

LE BEC-HELLOUIN

Dans la verdure d'un vallon dont le « bec » – le ruisseau – court vers la Risle, une tour émerge, haute, gracieuse, entourée au sommet d'une élégante balustrade, surmontée d'un très léger pinacle. C'est la tour Saint-Nicolas, dernier vestige de l'église d'une des plus grandes abbayes normandes, celle du Bec-Hellouin. Fondée en 1034 par Herluin, un chevalier las des armes qui avait troqué sa cotte de mailles pour la robe de bure, elle tint dès ses origines, en matière religieuse et politique, un rôle de premier plan au sein de l'embryon d'Europe créé par Guillaume le Conquérant, dans le duché, en Angleterre, en Italie. Lanfranc, théologien et religieux venu de Pavie, qui en fut le premier prieur, était devenu l'ami, puis le conseiller du Conquérant alors que ce dernier faisait le siège de Brionne, ville proche sur la Risle, au pied des ruines de son donjon. Premier abbé de Saint-Etienne à Caen, Lanfranc fut ensuite nommé archevêque de Canterbury, avec qui Le Bec-Hellouin entretient toujours des liens tandis qu'Anselme, son successeur, originaire du Val d'Aoste, contribuait pour beaucoup au rayonnement intellectuel du monastère.

Déjà presque abandonnée à la Révolution, l'abbaye sera livrée à la pioche des marchands de matériaux et les locaux épargnés deviendront dépôt de monte. La tour Saint-Nicolas, construite au XVᵉ siècle, la base de quelques piliers, des vestiges du transept sud, c'est tout ce qui demeure d'une des plus grandes églises abbatiales jamais construites. Les bâtiments conventuels ont eu moins à souffrir. Restaurés au XVIIᵉ

Ci-contre
Emergeant de la verdure, la tour Saint-Nicolas est le seul vestige de l'église de la célèbre abbaye du Bec-Hellouin, une abbaye toujours vivante située au cœur d'un très joli village.

siècle par des religieux qui avaient adopté la règle de saint Maur, le cloître, l'hôtellerie monastique, le logis abbatial, le réfectoire, aujourd'hui l'église, constituent un remarquable exemple d'une architecture classique dont, moine au Bec et architecte, Guillaume de La Tremblaye, ici et à Caen, fut le grand maître.

Revenus en 1948 en ce monastère, les Bénédictins lui ont rendu sa vocation de lieu de prière et de retraite, mais aussi de recherches et d'échanges. Dans la nouvelle église abbatiale, la dépouille de son fondateur repose dans un sarcophage devant le maître-autel, offert par la Région d'Aoste.

BERNAY

Bernay est l'une des rares villes normandes dont le centre a été épargné par la guerre. Réaménagé, rendu plus souriant, il confère à cette sous-préfecture de l'Eure une authenticité, un caractère qu'on ne saurait nier. Les antiquaires y ont ouvert boutique en grand nombre. Ses nombreuses maisons anciennes, à pans de bois ou de moellons et de silex, baignent leurs façades ou les bords de leurs jardins dans les eaux vives de la Charentonne et du Cosnier, son affluent. Longtemps quasi abandonnée, l'abbaye est redevenue un élément du patrimoine historique normand. Fondée en 1013 par Judith de Bretagne, épouse de Ri-

chard II, placée sous la direction de Guillaume de Volpiano, célèbre abbé de Fécamp, elle est considérée comme le berceau de l'art roman en Normandie. Les bâtiments conventuels ont accueilli l'hôtel de ville ; le logis abbatial, les collections du musée des Beaux-Arts dont faïences et céramiques de Rouen sont la richesse.

De remarquables œuvres d'art, certaines provenant du Bec, ornent l'église Sainte-Croix : pierres tombales, statues d'apôtres et d'évangélistes dans la nef et le chœur, Nativité sur le maître-autel. Depuis longtemps, la basilique Notre-Dame-de-la-Couture, aux voûtes de bois et aux vitraux somptueux, accueille, le lundi de Pentecôte, les confréries de charité normandes.

Patrie du poète Alexandre – inventeur de l'alexandrin –, Bernay l'est aussi des Conventionnels Thomas et Robert Lindet. La promenade des Monts offre sur la ville un excellent panorama.

Ci-contre
Restaurée, l'église de l'abbaye fondée à Bernay par Judith de Bretagne, grand-mère de Guillaume le Conquérant, est un exemple d'art roman à ses origines.

LE MARAIS VERNIER

Ses ponts, ses ruelles, ses demeures typiques, baignés de la Risle et de ses biefs, ont valu à Pont-Audemer le titre de « Venise normande ». Longtemps capitale de la tannerie et de la papeterie, la ville est une sorte de sas entre l'Eure et l'estuaire de la Seine. L'église Saint-Ouen, construite au XIe siècle, agrandie au XVIe, au décor souvent remarquable, s'orne de magnifiques vitraux de la Renaissance mais aussi de vitraux contemporains signés de Max Ingrand.

En franchissant l'A 13 en direction du pont de Tancarville, doyen des ouvrages d'art sur la basse vallée de la Seine, on rejoint le marais Vernier. Depuis les départementales 180 ou 90, depuis la pointe de la Roque, la vue s'étend sur ce site en forme d'amphithéâtre, site naturel parmi les plus réputés de Normandie.

C'est l'homme qui a créé cet espace très original, asséchant dès l'époque d'Henri IV des terres que la mer envahissait trop souvent pour les cultiver. Des Hollandais vinrent plus tard parachever l'ouvrage. Edifiée en 1607, entre le Bout d'Aval et le canal de Saint-Aubin, une digue porte leur nom. On s'efforce aujourd'hui de préserver ce qui subsiste du caractère initial du marais, celui d'une zone humide essentielle à la préservation de la faune et de la flore.

Sainte-Opportune-la-Mare, Bouquelon, Quillebeuf-sur-Seine, Saint-Samson et le Marais Vernier, Vieux-Port et Aizier sont autant de villages d'où partir à la découverte des 5 000 hectares de ce territoire, la plus vaste tourbière de France, une zone écologique au statut européen. Entre prairies, découpées en damiers, et zones humides, où le moindre souffle fait frémir les roselières, entre digues et vergers, toutes les images qu'on attend sont là. L'herbe, dit-on, y est « plus verte que l'espérance ». La pomme y a sa « Maison » ; les chaumières leur « route ». Les iris au sommet des murs de pisé et d'argile y fleurissent drus, violets ou bleus, raides et fiers sur leur hampe. Autour de la Grande Mare, dans la réserve de Manneville, les troupeaux cependant ont une autre silhouettte que celle des lourdes et fortes races normandes, d'autres robes. Dans ces sols gorgés d'eau, mieux adaptés, paissent en effet de sombres taureaux d'Ecosse et des chevaux de Camargue. Refuge de milliers d'oiseaux nicheurs ou migrateurs, le marais Vernier fera le bonheur des ornithologistes. Il fait aussi celui des botanistes par la diversité des espèces végétales qui y croissent.

A l'est du marais Vernier se situe le Roumois, autre pays normand. Comme celui du marais, son terri-

Ci-dessus
Ruelles étroites, maisons à colombages, bras de rivière multiples, le vieux quartier de Pont-Audemer se révèle très pittoresque à l'ombre du clocher de Saint-Ouen.

toire s'inclut, en partie du moins, au sein du parc naturel régional des Boucles de la Seine normande, parc dont les 50 000 hectares s'étendent sur l'Eure et la Seine-Maritime et qui regroupe quelque cinquante communes de ces deux départements. Le Roumois s'est créé la notoriété qui lui manquait peut-être en faisant revivre vieux métiers, activités anciennes, manifestations traditionnelles de la région : moulin à vent à Hauville, four à pain et musée du sabot à La Haye-de-Routot, Maison du Lin à Routot, de la meunerie traditionnelle à Saint-Ouen-le-Pontcheux. Mais, peut-être, les plus anciens témoins du passé dans cette région sont-ils les deux ifs millénaires de La Haie-de-Routot dont, à la base la circonférence atteint 16 et 14 mètres et qui, chacun, abritent une chapelle ? La Maison du Parc est située, elle, à Notre-Dame-de-Bliquetuit dans une très belle ferme ancienne aux allures de manoir.

Aux franges de l'Eure et du Calvados, aux portes du Pays d'Auge, deux petites cités retiendront encore dans ce département le touriste à la découverte de la Haute Normandie : Cormeilles, au caractère ancien et pittoresque très affirmé, et Beuzeville où l'église Saint-Hélier s'illumine de dix-neuf vitraux du maître verrier contemporain François Decorchemont.

Ci-contre
Iris sur la faîtière, toit de chaume, murs de pisé : cette demeure, dans sa rénovation s'avère typique des matériaux et des techniques architecturales du Marais Vernier.

Ci-dessous
Le moindre souffle de vent animera les roselières du Marais Vernier où paissent chevaux de Camargue et taureaux d'Ecosse.

La Seine-Maritime

La Seine-Maritime est le berceau de la Normandie. Rollon était déjà fixé à Rouen, quand il conclut le traité de Saint-Clair-sur-Epte. Si Guillaume le Conquérant fit de Caen sa capitale, il prit à Rouen quelques-unes de ses grandes décisions et y mourut. Autant que la chute de Château-Gaillard, celle de Rouen mit un terme à l'autonomie du duché ; mais c'est à Rouen que siégea jusqu'à sa disparition en 1775 le parlement de Normandie.

Sa population – 1 240 000 habitants, près de 200 au kilomètre carré –, son poids dans l'économie nationale font de la Seine-Maritime le plus important des départements normands. Sa géographie, ses activités en revêtent tous les contrastes. Aux paysages bocagers et vallonnés du pays de Bray, terre d'élevage, s'opposent ceux du pays de Caux, plateau voué aux grandes cultures qui se rompt d'un coup pour tomber à la mer en hautes falaises. Les surfaces boisées occupent près de 100 000 hectares des 6 278 kilomètres carrés de son territoire dont les méandres de la Seine entre Rouen et Le Havre forment l'axe principal.

Industrialisée depuis longtemps, la Seine-Maritime est aussi terre de forte agriculture. Le Havre et Rouen se comptent au premier rang des ports français. La Renaissance et la grande pêche ont rendu illustres ceux de Dieppe et de Fécamp. La vogue des bains de mer, née à Dieppe, a donné l'essor à quantité de stations balnéaires, proches de Paris, dont Etretat, la plus fameuse, rendue célèbre par ses falaises.

Au fil des siècles, et dès avant l'arrivée des Normands, la Seine-Maritime s'est constitué un patrimoine sans égal. Cinq villes y sont classées « ville d'art et d'histoire ». On y recense 207 monuments historiques classés ; plus de 450 sont inscrits à l'Inventaire supplémentaire. Bien des « routes », des « itinéraires » s'y

Ci-contre
Les falaises et les « portes » d'Etretat, l'un des sites les plus fameux de Normandie sans doute, assurément de Seine-Maritime.

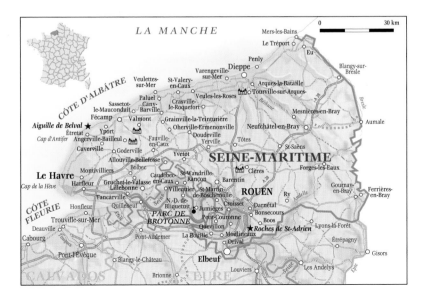

Ci-dessous

La tour Saint-Romain au toit en forme de fer de hache. Elle flanque sur sa gauche la façade de la cathédrale de Rouen et le portail Saint-Jean.

croisent : des épices, de l'ivoire, des abbayes, des impressionistes, etc. Corneille, Flaubert, Maupassant, Gide, Géricault, Monet, Dufy ont aussi, par la littérature ou la peinture, participé à la renommée de ce département.

ROUEN

Depuis Arthur Young, voyageur du XIXᵉ siècle, tous le savent : Rouen se découvre depuis une hauteur. La côte Sainte-Catherine offre sur la ville le plus connu des points de vue. Maupassant a choisi pour la décrire la côte de Canteleu ; André Maurois, les abords du château de Robert le Diable.

La Seine partage à Rouen deux villes. Rive droite, la flèche, les tours de la cathédrale, le donjon sont les emblèmes d'une cité deux fois millénaire. Rive gauche, au-delà de la tour des Archives, s'étend la ville industrielle née au XVIIIᵉ siècle, le quartier de Saint-Sever, aujourd'hui zone de commerce et de service.

Rarement sur un si mince espace, celui de la première ville, tant de monuments se sont édifiés. Les évêques et les ordres religieux y ont pris une part capitale. Le patrimoine architectural rouennais est en bonne partie religieux bien que les travaux entrepris au XIXᵉ siècle par les maires Ambroise Fleury et Louis Verdrel pour percer les rues Thiers, Jeanne-d'Arc ou de la République aient détruit quelques abbayes et églises dont celle de Saint-Amand. Trois demeurent, au cœur de Rouen.

« Edifice majeur de Haute-Normandie », la cathédrale Notre-Dame, qui faillit disparaître en 1944, est le symbole de la pérennité de Rouen. Bâtie sur l'emplacement

Page de droite

De longs travaux de restauration ont rendu à la pierre des tours et de la façade de la cathédrale de Rouen tout son éclat.

d'une basilique du IVe siècle, elle a été consacrée en 1063 en présence de Guillaume le Conquérant, mais le sanctuaire d'aujourd'hui a été construit du XIIIe au XVIe siècle. La flèche, dont les 151 mètres en font la plus haute de France et dont tour-lanterne supporte les 9 000 tonnes, n'a été posée qu'en 1830. Le portail des Libraires, le portail de la Calende, la façade ouest, flanquée de la tour Saint-Romain et de la tour de Beurre, vraie dentelle de pierre, souvent peinte par Monet, en sont les chefs-d'œuvre. A l'intérieur le chœur, modèle d'art gothique, séduit par la simplicité et la pureté de ses lignes. Dans les chapelles, le tombeau des cardinaux d'Amboise ou Louis de Brézé, les gisants de Rollon, Richard Cœur de Lion, Mathilde l'Emperesse, du duc de Bed-

ford, qui entourent le chœur en font un mémorial de l'histoire de Normandie.

Le porche de Saint-Maclou, à quelques pas de la cathédrale, ne comporte pas moins de cinq arcades, placées devant sa façade. Entreprise en 1437 sous l'occupation anglaise, la construction de cette église, chef-d'œuvre du flamboyant, ne s'est achevée que soixante ans plus tard. On admirera à l'intérieur

les colonnes de marbre soutenant la tribune d'orgues, l'escalier du jubé, la poutre de gloire. Puis l'on visitera à proximité l'ancien cimetière de cette paroisse, l'Aître Saint-Maclou :

Page de droite, en haut
Place du Vieux-Marché, où Jeanne d'Arc subit son supplice, les piliers de l'église Saint-Sauveur, proche du bûcher, ont été remis au jour.

Ci-contre
Comme jadis – mais plus clair, sans doute – le ruisseau coule toujours au milieu de la chaussée, rue Eau-de-Robec.

Ci-dessous
L'Aître-Saint-Maclou, en d'autres termes le cimetière de la paroisse dont la flamboyante église s'élève à quelques pas de la cathédrale.

une cour carrée, plantée en son centre d'une croix et fermée d'une galerie dont les poutres, richement sculptées de personnages semblant emmenés par quelque danse macabre, soutiennent les greniers où, du XIVᵉ au XVIIIᵉ siècle, était déposée la dépouille des défunts.

Rue Eau-de-Robec, on a rendu son cours au célèbre ruisseau rouennais, le milieu de la chaussée.

D'un jardin surgissent le chevet et la tour centrale, dite « Tour Couronnée » de Saint-Ouen, le troisième des grands sanctuaires rouennais On y accède par le portail des Marmousets, à l'impressionnante clé de voûte. Eglise d'un monastère fondé au VIIᵉ siècle pour accueillir les reliques du prélat rouennais, construite entre le XIVᵉ et le XVIᵉ siècle, un peu plus grande

Ci-dessous, à gauche

Un petit musée évoque, à l'aide de mannequins de cire, la vie et la mort de la bergère de Domrémy dont il présente aussi nombre des milliers d'ouvrages qui lui ont été consacrés.

Ci-dessous, à droite

La galerie du Souvenir qui, depuis la place du Vieux-Marché, conduit à l'église Jeanne-d'Arc couverte d'un toit immense.

que la cathédrale avec laquelle elle est parfois confondue, Saint-Ouen surprend par l'unité de son style. Malgré la durée de la construction, le plan initial a été parfaitement respecté. Son harmonie, sa luminosité, la délicatesse de ses colonnes, sa rosace, ses vitraux en font la beauté. Au XIXᵉ siècle, l'hôtel de ville s'est installé dans les bâtiments conventuels de l'abbaye qui, hors ceux dont la façade donne sur les jardins, ont été souvent modifiés, en particulier pour permettre l'aménagement de l'actuelle place du Général-de-Gaulle, décorée d'une belle fontaine et d'une curieuse statue de Napoléon.

Parmi les autres sanctuaires qui font de Rouen un haut lieu de l'architecture religieuse, visitez Saint-Romain où un sarcophage de marbre rouge contient les reliques du prélat devenu le saint patron de la ville – et de sa foire – pour l'avoir délivrée de la Gargouille ; Saint-Patrice-et-Saint-Godard qui s'éclaire des plus beaux vitraux de Normandie ; la chapelle du lycée fréquentée par Corneille ; Saint-Nicaise qui allie gothique et moderne ; la Madeleine qui s'intègre dans les bâtiments de style classique de l'hôtel-Dieu. « La ville aux cent clochers », disait Hugo quand certains déjà avaient disparu. Rouen comptait à la veille de la Ré-

Ci-dessous
Le palais de justice de Rouen, merveille de l'architecture civile de la capitale normande et orgueil des Rouennais.

Page de droite
Le Gros-Horloge – le masculin est de rigueur – mis en place en 1527 dans cette arche surmontant la rue la plus animée et la plus fréquentée de Rouen.

volution trente-sept paroisses, quarante couvents et chapelles de prieuré, d'hôpitaux, de séminaires.

Construite en 1970, l'église Jeanne-d'Arc, place du Vieux-Marché, est le point de départ ou le terme d'une autre visite de Rouen, celle qui vous conduit dans les pas de la bergère de Domrémy. Due à l'architecte Louis Arrechte, l'église, sous son toit aux volumes tourmentés, est faite d'un mur de vitraux que soutient une délicate ossature de béton et qui, provenant de l'église Saint-Vincent détruite pendant la guerre, ont été ainsi remis en valeur. Devant le sanctuaire, en contrebas de la galerie du Souvenir, la base des piliers de Saint-Sauveur

où un soldat alla chercher le crucifix que Jeanne réclamait, le pilori, les pierres du mur pare-feu, quelques mètres carrés de terre brute où fut dressé le bûcher, ont été remis au jour. Surmontés de la haute croix de la réhabilitation, ce sont les émouvants témoins matériels du supplice que Jeanne subit en ces lieux le 30 mai 1431. Le 102 de la rue Jeanne-d'Arc, où elle fut emprisonnée, le donjon où elle fut menacée de torture, les jardins de Saint-Ouen où elle abjura, la rue Saint-Romain où se déroula, à l'officialité, son procès de réhabilitation sont les autres lieux où honorer à Rouen sa mémoire, évoquée aussi par le musée Jeanne-d'Arc.

Les Rouennais font volontiers du palais de justice un grand sujet de fierté. Siège de l'Echiquier et du parlement de Normandie, il a été construit entre 1499 et 1543, agrandi à diverses reprises. Ses façades révèlent la constante évolution des arts gothique et flamboyant, devenant au fur et à mesure de leur élévation plus légères, plus inventives dans le dessin de leurs balustrades, de leurs pinacles, du galbe de leurs fenêtres. De la cour

Ci-contre
L'entrée du musée des Beaux-Arts de Rouen, l'un des plus beaux de province. Il consacre une grande place à Géricault, David, Dufy et aux impressionnistes.

d'honneur, sous laquelle une syna-
gogue du XIᵉ siècle a été mise au
jour, un grand escalier mène à la
salle des Procureurs que couvre une
voûte de bois lambrissé et à la salle
des assises dont « la beauté ter-
rible » impressionnait Michelet.

Autre lieu de pouvoir et d'histoire, le beffroi. L'une des cloches,
la Cache-Ribaude, sonne chaque
soir le couvre-feu à 21 heures
comme en avait décidé…
Guillaume le Conquérant. C'est l'un
des monuments les plus visités de
Rouen, avec, contiguë, l'arcade portant le Gros-Horloge qui depuis
1529 indique l'heure aux passants
de la rue la plus animée de Rouen.

Située sur un fleuve qui la lie à la
mer et à Paris, Rouen est depuis toujours une grande place marchande,
négociant avec le monde entier. Des
hôtels aux façades majestueuses disent l'opulence de ses magistrats, de
ses tisserands, de ses marchands et
de ses armateurs : l'hôtel de Bourg-
theroulde, le bureau des Finances,
l'hôtel d'Hocqueville, l'hôtel d'Etan-
court. Mais la grande originalité de

Ci-contre
Au musée de la Céramique.

Ci-dessus
Une stèle a été élevée à la mémoire
de Gustave Flaubert, né à Rouen le
12 décembre 1821, au sein du musée
du même nom, situé à l'hôtel-Dieu.

Rouen – elle irritait presque Stendhal –, ce sont ses maisons à pans de bois. Restaurées en grand nombre après une période de mésestime, elles font le charme et le pittoresque des rues Saint-Romain, de Martainville, Damiette, Eau-de-Robec, ou de la place du Vieux-Marché.

Deux heures d'une promenade au centre historique vous auront persuadé de sa richesse. L'antique cité a d'autres atouts que son architecture pour vous séduire, son histoire littéraire par exemple. On visite à Rouen, rue de la Pie, la maison familiale des Corneille ; à l'hôtel-Dieu l'appartement d'Achille Flaubert, chirurgien-chef et père de Gustave, dont le cimetière monumental accueille la tombe. Le poète Saint-Amant, Mme Leprince de Beaumont, l'encyclopédiste Bernard de Fontenelle, le dramaturge Armand Salacrou, le romancier Maurice Leblanc sont nés à Rouen ; Maupassant, Gide, Alain, Maurois, Mac Orlan y ont vécu plus ou moins longuement. Lisez ce qu'en ont écrit, enthousiastes ou critiques, la marquise de Sévigné, Saint-Simon, Stendhal, Nodier, Michelet, Balzac, Hugo, Zola, Léautaud.

Autre richesse de Rouen, ses musées. Trois mille tableaux, sept mille dessins, quatre cents sculptures constituent le fonds de celui des Beaux-Arts. L'œuvre de Géricault, celles de Gérard David, des impressionnistes, de Raoul Dufy y tiennent une grande place. La céramique, art où Rouen s'est illustrée par ses fonds bleus ou ocre, ses décors à la rose, a son musée, l'hôtel d'Hocqueville ; la ferronnerie et la serrurerie ont le leur, dit musée Le Secq-des-

Tournelles, dans l'ancienne église Saint-Laurent. La tapisserie des « Cerfs ailés », la mosaïque de Lillebonne sont deux des pièces les plus remarquables du musée des Antiquités de la Seine-Maritime. Voisin le Muséum d'histoire naturelle réunit quelque 500 000 pièces touchant à l'ornithologie et à la faune en Normandie. A l'hôtel-Dieu, le musée Flaubert se prolonge d'un musée de l'histoire de la médecine. La Maison dite des Quatre Frères Aymon accueille pour sa part le musée de l'Education.

Allez aussi découvrir les ports. Fluvial il assure le relais entre la mer et Paris. Maritime, il se compte parmi les premiers de France. Son activité se concentre à l'aval du pont Guillaume où se situent les bassins, les hangars, les silos à grain, les différentes infrastructures. L'aménagement de la Seine, poursuivi depuis 1848, permet aux plus gros navires de s'embosser au long de ses quais qui se prolongent rive droite jusqu'à Val-de-la-Haye,

rive gauche jusqu'à La Bouille, Tancarville et Honfleur. Le musée maritime sur l'Espace des marégraphes, ainsi que des visites guidées vous renseigneront sur son activité.

L'édicule de la Gargouille, la halle aux toiles, la gare de la rue Verte, la haute Vieille Tour, le jardin des plantes, le Théâtre des Beaux-Arts devant lequel Corneille paraît déclamer quelques vers du Cid, la fontaine Sainte-Marie sont encore quelques monuments remarquables de cette « ville musée », décidément « inépuisable », disait Jean de La Varende.

Page de droite

L'ancienne église Saint-Laurent a été désaffectée et convertie en musée de la ferronnerie.

Ci-dessous

L'avenue Pasteur, à Rouen (quartier récemment rénové). Au fond, l'église Sainte-Madeleine.

L'AGGLOMÉRATION ROUENNAISE

La ville de Rouen recense un peu plus de 100 000 habitants, son agglomération quatre fois plus. A partir du XIXe siècle, le textile, le pétrole, la chimie, la papeterie, l'automobile ont fait des environs de Rouen un espace industriel important à l'intérieur de la boucle que trace la Seine d'Elbeuf à Moulineaux ou des vallées du Robec, du Cailly, de l'Austreberthe. De cet univers d'usines, de voies ferrées, de grues, de « voies rapides » et de « pénétrantes », la nature n'est jamais éloignée. Trois grandes forêts entourent Rouen et sa banlieue, celle de La Londe-Rouvray, la Forêt Verte et la forêt de Roumare où Rollon suspendait des bracelets d'or pour éprouver l'honnêteté de ses sujets. Les souvenirs y abondent.

A l'aval d'Elbeuf, jadis grande cité drapière comme un vitrail le rappelle, elle aussi Ville d'art et d'histoire, les falaises de craie d'Orival confèrent à ce coin de Normandie un aspect jurassien ou dolomitique. Sur l'autre rive de la Seine, les Roches Saint-Adrien, lieu d'un pèlerinage, en sont une réplique.

A l'est de la capitale normande, le château de Martainville, magnifique demeure des XVe et XVIIe siècles, accueille les riches collections de meubles, de vaisselles, d'ustensiles, de costumes des divers pays qui forment la province.

A Ry, un monument, au bord du Crevon, et un musée d'automates rendent hommage à Flaubert. Le village serait ce Yonville-l'Abbaye où il a situé l'action de *Madame Bovary*. A

Boos, le pigeonnier décoré de céramique appartenait au domaine de campagne des abbesses de Saint-Amand. La basilique Notre-Dame-de-Bonsecours est celle d'un des pèlerinages à la Vierge, nombreux en Normandie. Une crémaillère reliait autrefois Rouen à cette ville résidentielle qui offre, notamment depuis le

cimetière, où est enterré Heredia, et ses abords, un remarquable panorama sur la vallée de la Seine. A Darnétal, à Carville, où l'on visite l'église Saint-Ouen-de-Paon et la tour de l'église Saint-Pierre, quelques-uns des très nombreux moulins qu'ont fait tourner jadis le Robec et l'Aubettte ont retrouvé un peu leur aspect.

C'est à Croisset, dans un petit pavillon à l'angle d'un jardin, ce qui reste de la propriété familiale, que Flaubert veillait sans fin, en forçat de la phrase parfaite. La mairie de Canteleu conserve sa bibliothèque. Passionné de sculptures, André Marie, l'un de ses maires, a fait placer dans les rues de Barentin les œuvres de

Ci-contre Très rare exemple d'église troglodytique, celle d'Orival s'enfouit en partie sous la falaise.

Ci-dessous Le colombier de la maison de campagne des Abbesses de Saint-Amand, une grande abbaye de Rouen, disparue lors du percement de la rue de la République en 1810.

Rodin, Janiaux, Bourdelle, Gromaire, etc. Un vrai musée en plein air.

Voltaire fut, à Quevillon, l'hôte du château de La Rivière-Bourdet. La Bouille, sur la rive gauche, patrie d'Hector Malot, l'auteur de *Sans Famille*, qui y naquit en 1830 dans une demeure toujours existante, est un lieu de détente très apprécié des Rouennais après avoir été longtemps le point de passage entre les deux Normandie. Au-dessus de Moulineaux, l'emblème normand flotte sur les vestiges du château de Robert le Diable, un Robert né de l'imagination des romanciers populistes du XIXe... à moins que ce ne soit des médisances des ennemis de Robert le Magnifique. L'antique forteresse, construite au XIIe siècle, abrite un musée viking. Dans les bois, un peu sous le château, un monument dit du « Qui Vive », cher à André Maurois, commémore la résistance des francs-tireurs normands en 1870. A Petit-Couronne, une porte au milieu de hauts murs donne accès à la maison... de campagne de Pierre Corneille.

En haut, à droite
Le pavillon de Croisset, à Canteleu, tout ce qui reste de la propriété familiale des Flaubert. L'écrivain aimait s'y délasser, y recevoir ses amis, y contempler le spectacle des navires remontant la Seine.

Ci-contre
Une plaque commémore les fêtes organisées à Paris pour l'anniversaire de la naissance du grand écrivain qui eut avec Rouen des rapports souvent difficiles.

LE VAL DE SEINE

De Rouen au Havre, il faut à la Seine 180 kilomètres – à vol d'oiseau 80 – pour rejoindre son estuaire. Heureuse paresse qui vaut à la Normandie les paysages du val de Seine sur lesquels Moulineaux, Bardouville, Hénouville, Duclair, Le Trait ouvrent de grandioses panoramas. Le cours du fleuve se suit souvent au plus près ; on peut aussi le découvrir en croisière. Cerisiers, pommiers le peignent au printemps de tendres couleurs ; les forêts, à l'automne, avec plus de vigueur.

Sur sa rive gauche, une vieille ferme, à Notre-Dame-de-Bliquetuit, abrite le siège du Parc Naturel Régional des Boucles de la Seine qui couvre une partie de leur territoire.

Voilà longtemps que les hommes ont apprécié ce site. Cinq grandes abbayes se situent sur ses rives ou à proximité. Un chambellan du Conquérant, Raoul de Tancarville, a fondé la collégiale sur laquelle les Bénédictins de Saint-Evroult ont bâti l'église abbatiale dédiée à saint Georges. Ce magnifique édifice roman, dont les jardins à la française qui l'entourent ont été récemment restaurés, s'élève au centre du village de Saint-Martin-de-Boscherville. On admirera en particulier son porche et sa façade. Il nous est parvenu intact grâce aux habitants de Saint-Martin qui, à la Révolution, en firent leur église paroissiale.

Voisine, Jumièges a été fondée en 654 par saint Philibert puis détruite par les Vikings, relevée par Guillaume Longue Epée. Deux églises ont été édifiées tour à tour et parallèlement. Mais de Notre-Dame

Page de gauche

La Seine depuis les hauteurs du Trait. « J'ai vu toutes les beautés et les tours de cette belle Seine… Ses bords n'en doivent rien à ceux de la Loire. » Madame de Sévigné à madame de Grignon.

Ci-dessous

La magnifique abbaye romane de Saint-Georges s'élève au cœur même du village de Saint-Martin-de-Boscherville.

ne subsistent que les deux tours encadrant la façade, les murs à triple niveau de la nef, un pan de la tour-lanterne, soutenu par un arc immense ; de Saint-Pierre, le porche et quelques travées de la nef ; du couvent lui-même, un grand cellier, la salle capitulaire, la sacristie des reliques. Au temps des choix, les paroissiens de Jumièges avaient souhaité faire de l'église Notre-Dame celle de leur paroisse ; mais leur curé s'y opposa, jugeant trop dispendieux un entretien qui déjà avait ruiné ses religieux. La condamnant à la destruction, il lui préféra celle qui, construite au XIIe siècle, et dédiée à saint Valentin, tenait déjà le rôle d'église paroissiale. A l'heure où l'on abattait l'orgueilleuse abbaye, Saint-Valentin recueillit une part des richesses de ses sanctuaires : vitraux, statues, mobilier, etc. Elle mérite aujourd'hui une visite.

Jumièges, l'une des plus vastes abbayes normandes, n'est plus, selon le mot de R. de Lasteyrie, qu'« une des plus admirables ruines qui soient en France ». L'ombre d'Agnès Sorel, la favorite de Charles VII, les hante.

Morte au proche château du manoir des Vignes le 9 février 1450, d'une fièvre puerpérale mais peut-être empoisonnée, la Dame de Beauté repose à Loches. Son cœur et ses entrailles furent toutefois inhumés en l'église Notre-Dame. Sa pierre tombale, noire, est une des richesses du petit musée mis en place dans le Logis abbatial où l'on trouvera également le gisant des Enervés de Jumièges, des personnages dont l'identité a fait couler beaucoup d'encre.

L'abbaye qui porte aujourd'hui son nom, Saint-Wandrille, dite à l'origine de la Fontenelle, un ruisseau qui prend là sa source, a été fondée quant à elle par ce familier de Dagobert en 649. Son église gothique a été elle aussi détruite avant que Victor Hugo, de quelques mots fameux, ne mette un terme à l'anéantissement de tant de monuments. Accessibles depuis la porte de Jarente, les bâtiments monas-

En haut de page

L'église gothique de l'abbaye fondée au VIe siècle par saint Wandrille, un serviteur de Dagobert, n'a pas échappé non plus à la pioche et au pic des vandales.

Ci-contre

Le mur de la nef et les tours de Notre-Dame de Jumièges, les plus importants vestiges de l'église consacrée en 1067 en présence de Guillaume le Conquérant.

tiques, construits dans le style classique des XVIIe et XVIIIe siècles, ont été préservés. Des Bénédictins de stricte observance s'y sont réinstallés en 1931. Toujours vivante, leur communauté a rendu à l'abbaye sa vocation de lieu de prière et de retraite, ouvert également à ceux qui sont en quête d'une nourriture spirituelle. Une grange dîmière, celle de La Neuville-du-Bosc, démontée et remontée pièce à pièce, est aujourd'hui sa nouvelle église où, près du chœur, contenu dans une châsse, a été déposé le chef de saint Wandrille.

Les abbayes de Gruchet-Valasse et de Montivilliers se situent également sur le parcours, en Seine-Maritime, de la route des abbayes normandes. On les découvrira aux environs de Lillebonne et du Havre. La première fut fondée par Mathilde l'Emperesse, petite-fille du Conquérant, épouse en secondes noces de Geoffroy Plantagenêt, dont le bâtiment conventuel, édifié au XVIIIe siècle, porte au fronton les armes. A Montivilliers, où saint Philibert fonda au VIe siècle un monastère de moniales, la tour-lanterne et la tour nord de l'église Saint-Sauveur témoignent de l'importance qu'il avait prise six siècles plus tard.

De l'église de Caudebec-en-Caux, Henri IV affirmait qu'elle était « la plus belle chapelle du royaume ». Portail, façade, clocher, architecture ou sculpture, l'art flamboyant atteint là son sommet. Les statuettes du portail – portraits de musiciens –, les balustrades entourant le sommet de la nef ou la base du clocher – elles reproduisent les paroles du Magnificat – retiendront en particu-

lier l'attention. A l'intérieur, la clef de voûte pendante de la chapelle de la Vierge constitue une prouesse de Guillaume Le Tellier, l'architecte du sanctuaire, enterré sous cette voûte. De belles promenades bordent la Seine, partenaire essentiel de la vie de Caudebec qui consacre un musée à la navigation sur le fleuve. Dans son patrimoine, cette jolie cité, fortement endommagée par la guerre, a conservé un rare modèle de maison des Templiers. Caudebec

Ci-dessus
L'église de Caudebec-en-Caux, « la plus belle chapelle du royaume », selon Henri IV.

était l'un des points où l'on venait autrefois observer le mascaret, un phénomène à peine sensible depuis les aménagements de la Seine.

Un peu à l'écart du parcours du val de Seine, Yvetot, capitale du pays de Caux, a été le trône d'un « petit roi » que Béranger a rendu fameux. La chanson n'est pas sans fondement historique : Yvetot a bien eu son « roi » jusqu'à la Révolution mais son pouvoir, comme son domaine, était modeste.

Outre le musée des Ivoires et le jardin de l'Aneth, visitez à Yvetot l'église Saint-Pierre. Construite en forme de rotonde, éclairée d'immenses vitraux de Max Ingrand, elle offre une image trop rare, mais séduisante, d'architecture religieuse contemporaine. A proximité d'Yvetot, le chêne d'Allouville, plus que millénaire, verdit encore chaque printemps. Avec la chapelle installée dans son tronc en 1696 par le curé du lieu, c'est l'une des grandes curiosités de Normandie.

Ci-dessous à gauche
En haut, le village de Villequier conserve à jamais le souvenir de la tragédie qui s'y est déroulée le 4 septembre 1843.

Ci-dessous à droite
Le pont de Tancarville, doyen des ouvrages franchissant l'estuaire de la Seine.

Le 4 septembre 1843, surpris par le mascaret alors qu'ils canotaient, Charles Vacquerie, poète au talent naissant, et sa jeune épouse, Léopoldine Hugo, se noyaient dans la Seine. L'émotion et le souvenir de cette tragédie ont marqué à jamais Villequier. Hugo a dit, en vers inoubliables, sa douleur :

Je verrai cet instant jusqu'à ce que je meure
L'instant, pleurs superflus !
Où je criai : l'enfant que j'avais tout à l'heure
Quoi donc je ne l'ai plus
Ne vous irritez pas que je sois de la sorte
O mon Dieu cette plaie a si longtemps saigné.

Transformée en musée, la maison familiale des Vacquerie rassemble des souvenirs liés à ce drame, à ses victimes et à la vie de Hugo.

Haut lieu de l'histoire normande… avant les Normands, Lillebonne n'a été longtemps connue que comme le site du plus grand monument gallo-

romain au nord de la Loire, son théâtre. Mais l'histoire ducale y a aussi sa place. Selon la tradition, Guillaume y réunit ses vassaux pour préparer la conquête de l'Angleterre et y convoqua en 1082 un concile des prélats normands. Le donjon ne date cependant que de Philippe Auguste. Deux musées, le théâtre lui-même témoignent de l'importance de la ville à l'époque gallo-romaine comme de son plus récent passé.

Tancarville, connu pour être le site du premier pont construit – en 1959 – sur l'estuaire, est également celui d'un formidable château, à la fois forteresse et demeure familiale, planté dans les bois, au-dessus de la Seine. Au-delà se développe la zone industrielle du Havre, traversée par le canal de Tancarville et où les grands navires accèdent par le grand canal du Havre. C'est un grand centre de l'industrie, de celle du pétrole en particulier, éclairé la nuit de la flamme des torchères et d'où surgissent, tels deux phares géants, hautes de 242 mètres, les cheminées de la centrale thermique d'EDF.

LE HAVRE

En septembre 1944, mal renseignés sur l'importance des troupes allemandes qui l'occupaient encore, les Alliés bombardaient à nouveau et rasaient Le Havre. La reconstruction fut confiée à l'architecte Auguste Perret. Adepte de la ligne droite, des grands espaces, pionnier de l'utilisation du béton armé, ce dernier reprit pour plan celui, en damier, du premier urbaniste du Havre, l'Italien Bellarmoto. Son œuvre, mal comprise, suscita bien des critiques. Elle valut au Havre une réputation de froideur, de rigidité, d'inintérêt touristique bien imméritée. Le temps a déposé sa patine sur ce qui avait été construit alors ; de nouveaux édifices ont été bâtis, des espaces réaménagés, des monuments anciens

Ci-dessus
Depuis le bassin du Commerce, qu'enjambe une élégante passerelle, deux des édifices les plus remarquables du Havre d'aujourd'hui : le Volcan, au premier plan, et le clocher de l'église Saint-Joseph.

restaurés et l'on peut avec plaisir longuement visiter Le Havre, pourvu qu'on ne considère pas qu'une ville normande doive être construite selon des canons moyenâgeux ou « normands ». Le Havre est inscrit d'ailleurs au Patrimoine mondial de l'Humanité et la visite de l'appartement Perret, fidèle image de celui que concevait le génial architecte dans les années 50, est, ici, un incontournable.

Le Havre n'est qu'une ville récente, d'ailleurs. Elle n'a été fondée qu'en 1517 par François Ier pour devenir le grand port du royaume. Honfleur était trop modeste. Harfleur, alors atterrage sur la rive de la Seine, aujourd'hui jolie ville au débouché de la Lézarde, chantée par Hugo et dont le clocher est le plus haut de Normandie, s'envasait. Le site, choisi sur le conseil du grand amiral de France Bonnivet, présentait, entre autres avantages pour des nefs au gabarit déjà grandissant, que la marée y reste haute deux heures. Au fil de l'histoire, le

« Havre de Grâce », puis « Françoise de Grâce », est devenu Le Havre, la première ville de Normandie par le chiffre de sa population. Elle compte parmi ses enfants célèbres Bernardin de Saint-Pierre, Casimir Delavigne, Raymond Queneau, André Siegfried, René Coty.

Trois ou quatre villes se superposent au Havre qu'on visite simultanément ou tour à tour. Non loin du bassin du Roi, où l'*Hermine*, le vaisseau royal, premier bateau à y avoir été accueilli, vint s'amarrer en 1518, quelques témoins de la cité première demeurent : l'ancien palais de justice, siège du muséum d'histoire naturelle ; la maison de l'Armateur, une demeure du XVIIIe siècle à l'étonnant puits de lumière central octogonal ; la cathédrale Notre-Dame dont les colonnes ioniques torsadées précédant la façade ouest ne manquent pas de surprendre concernant un édifice où dominent par ailleurs styles gothique et Renaissance. Aux environs immédiats, l'église abbatiale de Graville, dédiée à sainte Honorine, martyre du IVe siècle, témoigne d'un passé bien antérieur à la naissance du Havre, car construite au XIIe siècle. Un musée a été mis en place dans les bâtiments conventuels sous le double thème de l'art sacré et de l'habitat. Les rues qui montent vers le fort de Sainte-Adresse, le Pain de Sucre, la chapelle Notre-Dame-des-Flots, le fort de Tourneville et les hauteurs du Havre évoquent un peu l'ambiance de la ville avant la guerre.

L'avenue Foch caractérise la cité reconstruite. C'est une très longue artère, plus large que les Champs-Elysées, bordée de promenades ombragées, entre deux longues lignes d'immeubles d'une grande unité architecturale. Elle passe devant l'hôtel de ville et la place qui le précède, la plus vaste d'Europe, aménagée en espace paysager. A son extrémité, deux hautes tours s'élèvent, symbole de la « Porte Océane », le beau vocable donné au Havre. Au milieu des quartiers reconstruits, telle celle des grands sanctuaires normands, jaillit à 109 mètres du sol la tour octogonale du clocher de Saint-Joseph. Audigier, son architecte, a repris une idée d'Auguste Perret. Il a conçu cette église comme une grande nef carrée, plaçant le maître-autel en son centre à l'aplomb de la tour-lanterne, haute de 90 mètres et soutenue par quatre piliers. Il a imaginé également d'éclairer le sanctuaire grâce à 12 768 panneaux translucides, teintés de cinquante couleurs différentes, insérés dans le béton de la tour et de la nef qui l'illuminent ainsi d'une lumière à chaque instant nouvelle.

Au cœur du Havre, l'eau du bassin du Commerce, qu'enjambe une élégante passerelle métallique, ne se trouble plus guère que du sillage des frêles navires de jeunes apprentis marins. Le palais de la Bourse du Havre, l'une des plus anciennes de France, avait été construit sur ses quais mais ses locaux abriteront désormais le casino. A l'ouest, dans le prolongement de ce bassin, l'Espace Niemeyer, du nom de l'architecte brésilien qui l'a conçu, s'avère, pour sa part, le cœur de la vie culturelle havraise. Le Volcan, haute masse blanche, affectant la forme d'une cheminée de paquebot, abrite en effet les salles de spectacle, les salles de cinéma et autres lieux de réunions et de congrès. Construit en

Ci-dessous
Au tomber du jour, la plage de Sainte-Adresse, cité résidentielle de l'agglomération havraise. Dans ses hauteurs, point de vue remarquable sur la mer, siège en 1914-1918 du gouvernement belge.

1960 en bordure de la mer, non loin du sémaphore, le musée Malraux s'est acquis un grand renom tant par son architecture que par ses collections. La qualité de la lumière baignant les salles met particulièrement en valeur les œuvres de Raoul Dufy – né au Havre –, de Boudin, de Monet, de Renoir, de Millet ou des maîtres flamands et hollandais qui y sont exposées. Le musée ouvre sur la mer un large regard. La sculpture de béton mise en place devant sa façade de verre dit bien sa vocation. Elle a été nommée « l'Œil ».

Longtemps, le port du Havre, dont le Conservatoire maritime installé dans un hangar de l'ancienne gare transatlantique évoque l'histoire et préserve le patrimoine, a nourri le rêve d'images. C'était l'époque où appareillaient de ses quais pour l'Amérique ces paquebots prestigieux nommés *Normandie*, *Liberté*, *France*. L'avion a dissipé le rêve. Les ferries qui quittent la gare maritime aujourd'hui mettent le cap sur l'Angleterre ou l'Irlande. C'est le trafic des marchandises, des porte-conteneurs qui fait du Havre et d'Antifer, le port pétrolier – 32 millions de tonnes de brut débarquées en 2002 –, l'un des premiers d'Europe. Port 2000, sa nouvelle extension, réalisée avec un grand souci de préserver l'environnement, doit le conforter à ce rang, allongeant ses quais, protégés par 9 kilomètres de digues, de 4 kilomètres. Ses infrastructures s'étendent jusqu'à Tancarville sur plus de 22 000 hectares, quelques-unes, telle l'écluse François-Ier, battant au passage par leurs dimensions des records mondiaux. Rien n'empêche au terme de sa visite, indispensable étape d'un voyage au Havre, une promenade au bout de la jetée nord. Pas une tempête ne secoue la France sans qu'on ne nous montre une image de son phare à l'assaut duquel la mer lance ses rouleaux. Qu'elle se calme, on y vient presque toucher du doigt les grands navires venus d'ailleurs ou en partance.

Dans l'arrière-pays, sur le plateau cauchois quelques châteaux s'élèvent, telles des îles dans le moutonnement des moissons, Orcher qui surplombe la Seine de ses terrasses ; le Val d'Arques à Saint-Eustache-la-Forêt et la Petite-Croix dont les murs de briques roses abritèrent parfois le musicien André Caplet ; Filières à Gommerville ; Gourdemare, typique demeure cauchoise à Manneville-la-Goupil.

LA CÔTE D'ALBÂTRE

Cent trente kilomètres de falaises bordent le pays de Caux, murs blancs, striés d'argile et de silex, hauts parfois de plus de 100 mètres, comme au cap Fagnet et qui abandonnent volontiers à l'érosion leurs pans. Tombés à la mer, ils s'y dissolvent, la colorent : le rivage a pris ainsi le nom de Côte d'Albâtre. Etretat, la plus célèbre, Yport, Veulettes, Veules-les-Roses, Saint-Aubin, Sainte-Marguerite, etc., de nombreuses stations balnéaires ont étendu leur plage dans ses échancrures comme baigneur sa serviette. Les marins n'y ont trouvé que quelques abris, mais fameux : Fécamp, Saint-Valery-en-Caux, Dieppe, Le Tréport. EDF a implanté à Penly et Paluel deux centrales nucléaires.

On peut ne pas situer la Côte d'Albâtre, on ne peut pas ignorer Etretat. Les galets de sa plage, emportés, revenus, ses « portes », son « aiguille » en ont fait un de ces sites qu'on croit connaître sans jamais l'avoir visité. De part et d'autre du « perré », la digue-promenade qui longe la plage en la surmontant, s'élèvent à l'ouest la falaise d'Aval, au nord la falaise d'Amont. Celle d'Aval paraît se soutenir, telle une cathédrale sur ses contreforts, de l'arche que l'érosion a façonnée entre son sommet et la mer tandis que devant elle, à une encablure à peine, se dresse le candélabre géant de l'aiguille Creuse, haute de 70 mètres. Au-delà, mais invisible de la plage, la Manneporte, qu'on découvre depuis le sentier courant au sommet de la falaise d'Aval, s'ouvre comme le porche géant d'un nouveau sanctuaire sous lequel bat la mer. Vers l'est, au-dessus d'une troisième « porte » aux dimensions plus modestes, la falaise d'Amont déploie la ligne tourmentée de ses crêtes, laissant deviner le clocher et le toit de la chapelle Notre-Dame-de-la-Garde.

C'est Isabey, le peintre qui, au milieu du XIXᵉ siècle, découvrit Etretat, village de pêcheurs au creux d'une valleuse. Quelques maisons aux toits de chaume entouraient l'église, sa tour-lanterne et son porche roman et le soir les pêcheurs tiraient leurs barques, les « caïques », au sommet de la plage. Corot, Jongkind, Courbet, Monet le rejoignirent ou le suivirent ; des musiciens aussi, Offenbach, Massenet, des écrivains, tel Maupassant, qui venait en voisin,

En bas, à gauche

Parmi d'autres, Etretat cultive le souvenir de Guy de Maupassant, l'un de ses premiers fidèles.

Ci-dessous

Tirés sur les galets de la plage, quelques caïques, l'embarcation qui était autrefois celle des pêcheurs d'Etretat.

puis des grands de ce monde. Alphonse Karr, le premier à avoir inventé la mode en matière de destinations touristiques, assura la « promotion » d'Etretat, devenue à la fin du XIXᵉ siècle, en Normandie, le lieu de rendez-vous favori des artistes et de la bonne société. Maurice Leblanc la rendit populaire en faisant de l'aiguille Creuse le refuge de son héros, Arsène Lupin, gentleman cambrioleur. Certes, creuse, l'« aiguille » ne l'est pas mais rien ne vaut un brin de mystère pour faire le succès d'un site et foule de personnages de légende l'habitaient déjà, comme les falaises voisines et leurs grottes, telles Emeraude et Blanche Ecume.

Il flotte sur Etretat, noyée dans les bouquets d'hortensias, sur ses hôtels, ses villas, ses maisons, le Vieux Marché – construit en 1926 – un parfum de Belle Epoque. Le château des Aygues, résidence d'Offenbach puis des reines d'Espagne, le Clos Arsène Lupin, demeure de Maurice Leblanc, la villa Orphée, celle de Massenet, y sont les témoins du passé. Sur la falaise d'Amont, une grande flèche blanche dressée vers l'horizon commémore le souvenir de Nungesser et Coli. C'est ici que leur avion fut aperçu pour la dernière fois lors de leur tentative de traversée de l'Atlantique en 1927.

Aux environs, le phare du cap d'Antifer, construit sur une falaise qui surplombe la mer de 102 mètres, et l'aiguille de Belval sont deux buts de promenade près d'Etretat. Les « littéraires » se rendront, eux, à Cuverville, où le château fut la demeure d'André Gide et de son épouse. L'auteur de *La Porte étroite* et de *L'Immoraliste* repose dans le petit cimetière au chevet de l'église.

Ci-dessus
Le port de Saint Valéry-en-Caux,
un abri sur la Côte d'Albâtre.

FÉCAMP

Est-ce à la pêche que Fécamp doit son renom ou au « Palais » où mûrit une liqueur fameuse ? Ville d'art et d'histoire, Fécamp se prévaut de bien des titres.

La légende, comme souvent, entoure l'histoire de sa fondation. Fécamp a pour origine un tronc de figuier – ficus en latin – qui, échoué un jour sur son rivage, contenait quelques gouttes du Précieux Sang. En 658, un monastère se fonda sur cette relique mais deux cents ans plus tard les Vikings massacraient ses religieuses, détruisaient ses murs. Guillaume Longue Epée, fils de Rollon, le releva et Richard Ier, son fils, en fit une abbaye bénédictine dont l'église était consacrée en 990.

Incendiée par la foudre, elle a été reconstruite au XIIe siècle, remaniée au XVe et au XVIIIe siècle. Les dimensions de sa tour-lanterne et de sa nef sont proches de celles de Notre-Dame de Paris. A l'intérieur, statues, bas-reliefs, cénotaphes, objets de culte qui font un chef-d'œuvre de la Trinité, illustrent aussi les miracles dont le sanctuaire et Fécamp furent le cadre. Un reliquaire contient la trace du pied de l'archange saint Michel venu intimer aux évêques de dédier le sanctuaire à la Sainte Trinité. Adossé au chœur, un tabernacle de marbre blanc contient la relique du Précieux Sang apportée par le tronc du figuier. Dans la chapelle du Sacré-Cœur, repose Guillaume de Volpiano qui, appelé en 1003 à la tête de la Trinité et revenu y mourir en 1031, assura à ce monastère un prestige égal à celui de l'abbaye du Mont-Saint-Michel. Richard Ier sans Peur et son fils Richard II le Bon y sont également inhumés. L'hôtel de ville est installé dans les bâtiments conventuels.

Dès le XVIe siècle, les Fécampois pêchaient la morue à Terre-Neuve et pratiquèrent le « grand métier » jusqu'aux années 1970. Maquettes, embarcations reconstituées, tableaux, photos ; figures de proue, outils et équipements anciens font revivre au musée des Terre-Neuvas ces années où la pêche lointaine mais aussi la pêche harenguière et la construction navale assuraient à Fécamp une intense activité, sinon la prospérité. Sur la falaise, l'église Notre-Dame-du-Salut demeure un but de pèlerinage pour les marins et un amer.

Ci-dessous
La plaisance anime aujourd'hui bassins et quais de Fécamp, longtemps grand port de pêche à la morue et au hareng.

Le Palais de la Bénédictine est le lieu le plus visité de Fécamp ; l'un des plus fréquentés de Normandie. Construit en 1888 par un industriel fécampois, Alexandre Le Grand, aussi persévérant qu'imaginatif et, avant la date, publicitaire de génie, reconstruit en 1893 après un incendie, le Palais revêt un aspect moyenâgeux avec son clocher, son campanile, ses fenêtres, ses balustrades décorés à l'extrême. Telle était la volonté de son fondateur et de son architecte Camille Albert qui a imité – pastiché – les styles gothique et Renaissance dans un esprit Art nouveau. On peut y déguster au terme de la visite la Bénédictine, une liqueur inventée par Alexandre Le Grand à partir d'un élixir de santé mis au point en 1510 par un moine fécampois, Bernardo Vincelli, dont l'industriel avait retrouvé le grimoire. Si sa recette, tenue secrète, intègre des herbes cueillies dans les prés et falaises voisins, d'autres entrent dans sa composition, vingt-sept au total que les botanistes n'ont pas coutume d'y trouver telles la vanille, la muscade, l'hysope, la cannelle mais connues déjà à la Renaissance. Le Palais n'offre pas que des plaisirs gourmands et celui de s'initier à la fabrication et à l'histoire du nectar aux subtiles saveurs. Outre les alambics aux reflets cuivrés, les foudres de chêne où il s'élabore et mûrit, ses salles accueillent les nombreuses œuvres du Moyen Age ou de la Renaissance – manuscrits, statues, enluminures, ivoire, albâtre, ferronneries – qu'avait rassemblées Alexandre Le Grand, collectionneur passionné mais qui fit toujours par-tager le plaisir de ses découvertes au public. Une salle est par ailleurs consacrée aux expositions d'artistes dont le talent doit s'affirmer, comme avant eux Miro, Niki de Saint Phalle, Braque.

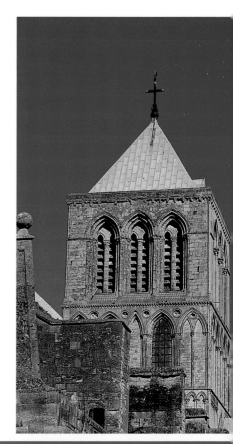

Ci-contre
La tour-lanterne de la Trinité à Fécamp, presque aussi haute que les tours de Notre-Dame à Paris.

Ci-dessous
Bâti et rebâti après un incendie à la fin du XIXe siècle, dans un style volontairement gothique et Renaissance, le Palais de la Bénédictine est un haut lieu de gourmandise mais aussi un remarquable centre culturel.

PAYS DE CAUX

Deux itinéraires joignent Fécamp à Dieppe. L'un longe la côte ; l'autre vagabonde à l'intérieur du pays de Caux.

Sur le premier, Varangeville-sur-Mer vous retient plus longuement. Le cimetière marin entourant la chapelle Saint-Valery, le manoir d'Ango, puissant armateur de la Renaissance, le parc du Bois des Moustiers et le parc Shamrock donnent à cette commune beaucoup d'intérêt à bien des titres.

Le second, plein de détours, traverse un pays de Caux moins sévère que ne l'a décrit Maupassant et que le lin, production très typique de ses terres, colore en juin d'un bleu tendre. Autour de Goderville, les fermes, – masures ou cours masures –, se protègent toujours du vent par une haute levée de terre

Ci-dessous
Le manoir d'Ango, puissant armateur et financier de la Renaissance, ami de François Ier, mais qui mourut ruiné.
On admirera en particulier l'appareillage de briques du colombier.

plantée d'un ou plusieurs rideaux d'arbres.

La route peut n'être qu'un vagabondage de château en château : de Valmont, berceau de la grande famille normande des d'Estouville où les Bénédictines ont rendu vie à l'abbaye Notre-Dame-du-Pré à Sassetot-le-Mauconduit qui accueillit l'impératrice Sissi ; de Cany-Barville, modèle très homogène de style Louis XIII à Oherville où le manoir d'Auffay accueille le musée des colombiers cauchois ; d'Ecrete-

ville-lès-Baons dont le manoir du Câtel est l'un des plus vieux de Normandie à Doudeville, où résonne encore le pas d'un certain maréchal du Villars ; de Crasville-la-Roquefort à Saint Pierre-le-Vieux ; de Longueville-sur-Scie à Ouville-la-Rivière. A Grainville-la-Teinturière, un musée retrace l'étonnante épopée du seigneur du lieu qui en 1402 conquit les Canaries, s'en proclama roi et s'en revint finir au village, dans la misère, une aventureuse vie.

ARQUES-LA-BATAILLE

Aux portes de Dieppe, le château de Tourville-sur-Arques pourrait ne devoir sa renommée qu'au nom de son premier propriétaire, Thomas Hue, marquis de Miromesnil. Ne doit-on pas à ce ministre de Louis XVI l'abolition de la question préparatoire en matière judiciaire, première étape vers l'abolition complète de la torture ? L'histoire parfois s'avère injuste.

C'est plus la naissance en ses murs, le 5 août 1850, de Guy de Maupassant qui a rendu célèbre cette belle demeure du XVIIe siècle, louée alors par les parents du futur romancier qui n'y vécut que trois ans.

Ci-dessus
Fièrement plantée au-dessus de la Béthune, la citadelle d'Arques-la-Bataille a été le théâtre de quelques grands épisodes de l'histoire normande et de l'histoire de France.

Ci-dessous
La poterne de la forteresse d'Arques s'orne d'un bas-relief à la gloire d'Henri IV qui le 21 septembre 1589 emporta là une bataille décisive contre les ligueurs du duc de Guise.

Ci-dessous
Le château de Miromesnil, à Tourville-sur-Arques, où est né Guy de Maupassant.

La forteresse qui se dresse au confluent de la Varenne et de la Béthune, sur un étroit promontoire, est bientôt millénaire. En 1054, Guillaume le Conquérant y livra assaut à Guillaume, comte d'Arques ; mais c'est Henri Beauclerc puis François Ier qui lui donnèrent ses véritables dimensions. Philippe Auguste, Charles le Téméraire l'assiégèrent en vain, Talbot et Warwick avec succès. Mais la plus célèbre des batailles qui s'y livrèrent fut celle qui en 1589 donna la victoire à Henri IV sur les ligueurs… La citadelle, dont les murs paraissent défier l'équilibre, fut parfois prison, retenant dans ses cachots Eléonore de Bretagne et Jeanne d'Arc.

Ci-dessous et à droite
Construit au XVe siècle, demeure des gouverneurs de Dieppe, le château, où Chateaubriand tint garnison, abrite aujourd'hui une rare collection de précieux ivoires.

DIEPPE

La terrasse du château à l'ouest, les hauteurs du Pollet, jadis pittoresque quartier des marins et des pêcheurs à l'est, offrent sur Dieppe une vue générale à ne pas manquer : dans l'espace que la Deep lui a ménagé, Dieppe, sous-préfecture de Seine-Maritime, s'étend tout à son aise.

La mode des bains de mer y est-elle née ? On l'assure : elle y aurait été lancée en 1824 par la duchesse du Berry. De vastes pelouses, une large avenue surplombent la plage qui aurait été celle de ce bain de mer historique. Le front de mer de Dieppe, long de 2 kilomètres, est l'un des plus agréables qu'on puisse parcourir. Chaque année, venus du monde entier, les passionnés de cerf-volant s'y donnent rendez vous.

Dieppe a joué un grand rôle dans la découverte maritime du monde et dans la lutte contre les prétentions du Portugal sur l'Afrique. Jean de Béthencourt, Jean Cousin, Raoul

Ci-dessus
Toujours très animé, escale pour
l'Angleterre, abritant une importante
flottille de pêche, le port de Dieppe tint
un grand rôle dans la découverte
maritime du monde.

et Jean Parmentier, Verrazano,
Champlain sont partis de ce port
vers Sumatra, New York, etc. En
l'église Saint-Jacques, la « frise des
Sauvages » illustre la rencontre de
ces capitaines et des populations
des pays lointains. Jean Ango, le
grand armateur, ami de François Ier,
qui finança ces expéditions et mourut ruiné, y a été inhumé.

Reconstruite sur les plans d'un
adjoint de Vauban, Vertraben, après
sa destruction par une flotte anglo-
hollandaise en 1694, Dieppe ne re-
trouva jamais son lustre, son rang

de premier port normand. Quelques
années plus tôt d'ailleurs, la révocation de l'édit de Nantes avait exilé
une partie de sa population. De sa
première reconstruction, Dieppe a
conservé quelques belles maisons
aux façades très colorées ou de
briques blanches dont les balcons
s'entourent de belles ferronneries.

Lors de la dernière guerre, sa
plage et celles de Pourville, Sainte-
Marguerite, Berneval, etc., furent, le
19 août 1942, le théâtre de l'opération Jubilee qui préparait le débarquement de 1944. Cette opération

occasionna de gros dégâts dans la cité tandis que près de 2 000 soldats alliés y trouvaient la mort, canadiens pour beaucoup. Cet événement a renforcé les liens déjà existants entre la cité normande et le Canada dont l'emblème, frappé de la feuille d'érable, flotte en de nombreux points de la ville.

La mer demeure le cœur de l'activité de Dieppe. Elle y a attiré beaucoup de peintres, Renoir, Monet, Pissarro, Emile Blanche. Son port, en liaison avec celui de New Haven, assure toujours une grande part du trafic avec l'Angleterre. Dieppe a également consacré à la mer un centre de culture scientifique et technique, l'Estran, dont quatre départements présentent divers aspects de la vie maritime ou océanique et le cinquième abrite de spectaculaires aquariums.

Longtemps et jusqu'à ce que son commerce soit interdit, Dieppe a été une capitale du travail de l'ivoire. Sans lui être exclusivement réservé, le musée installé dans le château, ancienne demeure des gouverneurs, présente une grande collection d'objets d'art réalisés à partir de ce matériau : statuettes, éventails, pendules, crucifix, instruments de navigation.

Ci-contre
L'Estran ou Cité de la Mer, un centre culturel et scientifique consacré à la mer, d'un grand intérêt.

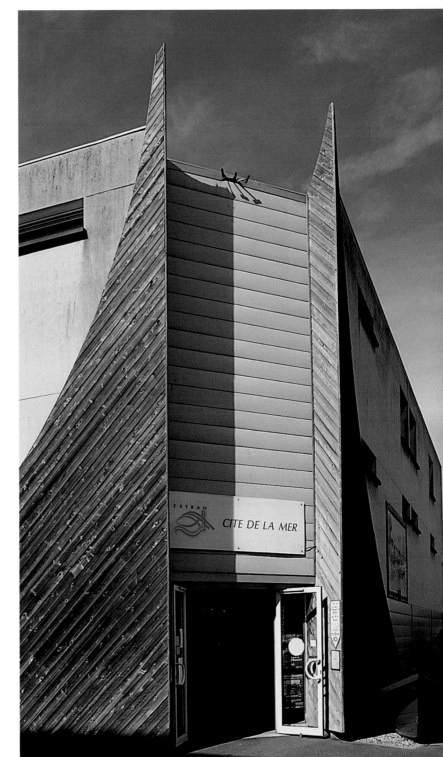

LE TRÉPORT ET EU

Le Tréport, la plus au nord des stations balnéaires de la Côte d'Albâtre, s'est acquis le titre de « plage de Paris » car la plus proche de la capitale. Les quais du port de pêche, la place du marché où s'élève la Croix du Moustoir, les rues très commerçantes sont en toute saison animés. L'église Saint-Jacques, construite sur un épaulement de la falaise, date principalement du XVIᵉ siècle, en particulier les remarquables clés de voûte de la nef. Un escalier de 378 marches ou un funiculaire, le seul sans doute en Normandie, créé en 1908 et depuis peu restauré mène,

depuis le centre, au Calvaire des Terrasses au sommet de la falaise. Du cap d'Ailly la vue porte jusqu'au Crotoy et à l'aplomb du sommet sur les toits du Tréport, l'estuaire de la Bresle et Mers-les-Bains, station balnéaire également mais… en Picardie.

Quelques kilomètres à l'amont, Eu, connu comme le dernier domaine royal en France, est une des cités normandes au plus long passé historique avéré et, eu égard à la dimension de cette ville aujourd'hui, au plus riche patrimoine architectural.

L'immense château dont la façade barre l'horizon de la vallée a été en effet la résidence favorite de Louis Philippe, avant d'être plus tard l'une de celles du comte de Paris. Le dernier roi de France y reçut à deux reprises la reine Victoria et c'est à Eu que se conclut l'Entente cordiale. On lui doit les dernières transformations importantes de la demeure dont Catherine de Clèves avait entrepris la construction en 1578 avant que Mlle de Montpensier ne

Ci-dessous
Le chevet de l'église collégiale Saint-Laurent-O'Toole à Eu.

l'achève. Louis-Philippe introduisit également dans le parc les essences exotiques qu'on y découvre parmi les hêtres magnifiques, parfois multicentenaires, qui en demeurent le principal ornement. La cité était née toutefois bien avant cette époque. On a remis au jour et en valeur au Bois l'Abbé les vestiges d'une importante ville gallo-romaine. S'il n'en existe pas de trace tangible,

c'est à Eu que Rollon, fondateur de la Normandie, mourut en 932 ; que Guillaume le Conquérant épousa en 1053 Mathilde de Flandres. C'est sur le tombeau de Laurent O'Toole, primat d'Irlande, mort ici en venant plaider – déjà – la cause de son peuple près du roi d'Angleterre, qu'a été édifiée l'église collégiale qui lui est dédiée. De ce sanctuaire, Viollet-le-Duc, qui le restaura, a

dit : « Je n'ai rien vu de plus beau. » Détruits par la foudre en 1486, chœur, transept et tour d'origine ont été reconstruits en un style flamboyant qui contraste vivement avec celui, ogival, de la nef. La statuaire y est remarquable : Christ en douleur, Vierge à l'effigie de Notre-Dame d'Eu, etc. Dans la crypte, Louis-Philippe a réuni gisants ou restes des membres de la famille d'Artois.

A Eu encore, le XVIe et le XVIIe siècle ont légué le bel ensemble de l'hôtel-Dieu, sa chapelle, sa salle capitulaire, son étonnant cimetière couvert et la chapelle du lycée Anguier, du nom des quatre grands sculpteurs originaires de ce haut lieu d'art et d'histoire. Gissay, Guillain, Nicolas et Tremblay ont associé leur ciseau pour sculpter dans le marbre blanc les cénotaphes qu'on y admire, ceux d'Henri de Guise le Balafré, assassiné à Blois en 1588, et de sa veuve, Catherine de Clèves.

Eu, Ville d'art et d'histoire, est aujourd'hui la capitale de l'industrie du verre dont la vallée de la Bresle s'est fait une spécialité. Près de 80 % des flacons de marque du monde entier y sont encore fabriqués.

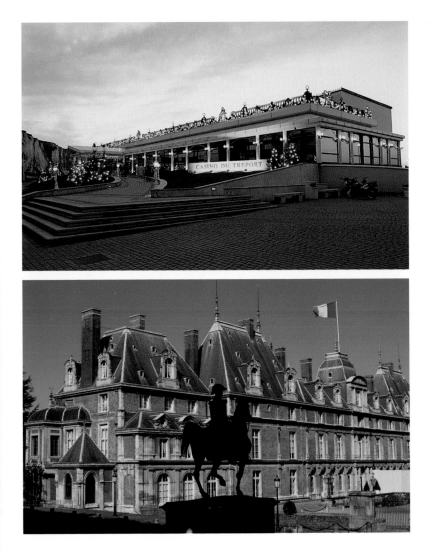

Ci-contre, en bas
Derrière la statue de Louis-Philippe, dont c'était la résidence favorite, l'immense château d'Eu.

Ci-contre, en haut
Surnommé « la plage de Paris », Le Tréport s'est naturellement doté d'un casino.

LE PAYS DE BRAY

Le château de Mesnières-en-Bray est la merveille architecturale du pays de Bray. L'ample demeure, flanquée de tours défensives qui ne sont que décoratives, a été édifiée au XVe siècle par Luc de Boissey. C'est un chef-d'œuvre de la Renaissance, mais le monumental escalier en queue de paon qui conduit à la cour d'honneur ne date lui que du XVIIIe siècle. La visite de la galerie des Cerfs, celle de la salle des cartes puis celle des deux chapelles sont autant de temps forts de sa découverte.

La nature et la qualité de ses produits font le charme du pays de Bray. Sa réputation est moins tapageuse mais le bondon de Neufchâtel – carré, bonde ou cœur – est le doyen des fromages normands : sa fabrication est attestée dès 1035. C'est par ailleurs à Ferrières-en-Bray qu'ont été inventés le petit-suisse et le carré frais dont Charles Gervais lança la fabrication industrielle.

Profonde entaille due à l'érosion dans le plateau de Caux, la « bouton-nière du pays de Bray » est une curiosité géologique sur laquelle, Beau-voir-en-Lyons, La Ferté-Saint-Sam-son, Bures-en-Bray ouvrent de beaux points de vue. Ce pays, bruissant d'eaux, d'où s'échappent, divergents, l'Epte et l'Andelle, la Béthune et l'Eaulne, est un pays de bocage, mais la forêt d'Eawy est réputée, avec celle de Lyons, comme la plus belle hê-traie de France. Sur 14 kilomètres, en droite ligne, l'allée des Limousins y trace une impressionnante tran-chée végétale. Sous ses frondaisons, au Val Vigot, les Allemands avaient construit une rampe de lancement de V 1 dont les vestiges constituent un lieu de mémoire. Les jardins de Bellevue à Beaumont-le-Hareng, où le pavot de l'Himalaya pousse sous le ciel normand, Auffay, où avant son jardin on visitera le château de Bos-melet et la collégiale à la célèbre Tour des Jacquemarts, sont d'autres étapes botaniques et patrimoniales possibles.

Le parc de Montalent, le lac de l'Andelle, le bois de l'Epinay offrent un décor de conte de fées à Forges-les-Eaux dont les sources ferrugi-neuses et radioactives eurent pour premiers curistes Louis XIII, Anne d'Autriche, Richelieu et dont le ca-sino, l'un des plus beaux de France, se loge dans un ancien couvent de Capucins.

Faut-il enfin inclure dans les fron-tières du pays de Bray le château de Clères, aux portes de l'agglomé-ration rouennaise ? Depuis 1919, des milliers d'amateurs d'oiseaux se sont donné rendez-vous sous les frondai-sons et au bord des pelouses de son parc où vivent en semi-liberté fla-mants roses, grues, cygnes et autres oiseaux, exotiques ou non.

Page de gauche
Louis XIII, Anne d'Autriche et le cardinal Richelieu ont fait la renommée des eaux de Forges-les-Eaux : voilà qui méritait bien une statue.

Ci-contre, à droite
Cette puissante tour, flanquant la façade du château de Mesnières, veut lui donner quelque allure militaire, quelque aspect d'une forteresse qu'il ne fut jamais.

Ci-contre, à gauche
Le bondon de Neufchâtel, ici en forme de cœur, passe pour être l'ancêtre de tous les fromages normands.

Table des matières

Remerciements

Nos remerciements iront pour la documentation qu'ils ont bien voulu nous faire parvenir aux :

COMITÉ DÉPARTEMENTAL DU TOURISME DU CALVADOS
8 rue Renoir, 14000 Caen
Tél. 02 31 27 90 30/E-mail : cdt@cg14.fr

COMITÉ DÉPARTEMENTAL DU TOURISME DE LA MANCHE
Maison du Département, 50008 Saint-Lô Cedex
Tél. 02 33 05 98 70/E-mail : manchetourisme@cg50.fr

COMITÉ DÉPARTEMENTAL DU TOURISME DE L'ORNE
86 rue Saint-Blaise, BP 50, 61002 Alençon Cedex
Tél. 02 33 28 88 71/E-mail : info@ornetourisme.com

COMITÉ DÉPARTEMENTAL DU TOURISME DE L'EURE
3 rue du Commandant-Letellier, BP 367,
27003 Evreux Cedex
Tél. 02 32 62 04 27/E-mail : info@cdt-eure.fr

COMITÉ DÉPARTEMENTAL DU TOURISME DE SEINE-MARITIME
6 rue Couronné, BP 60, 76240 Bihorel
Tél. 02 35 12 10 10
E-mail : seinemaritime.tourisme@wanadoo.fr

Éditeur : Christian Ryo
Adaptation et mise en page : Nord Compo à Villeneuve d'Ascq (59)
Coordination éditoriale : Caroline Decaudin
Cartographie : Patrick Mérienne
Photogravure : Micro Lynx à Rennes (35)
Impression : Pollina, Luçon (85) - L55532